MOZART

SINFONIA IN SOL MIN.
K. 183

G   Moll
G   Minor
Sol Mineur
Sol Menor

55

RICORDI

Orchestra

2 Oboi (Ob.)

2 Fagotti (Fg.)

2 Corni in *Si* ♭ ⎫

     e in *Mi* ♭ ⎬ (Cor.)

2 Corni in *Sol* ⎭

Violini I ⎫

Violini II ⎬ (Vni)

Viole (Vle)

Violoncelli (Vc.)

Contrabbassi (Cb.)

SINFONIA

K. 183
(1773)

Sol minore   G moll   G minor   Sol mineur   Sol menor

W. A. MOZART
(1756-1791)

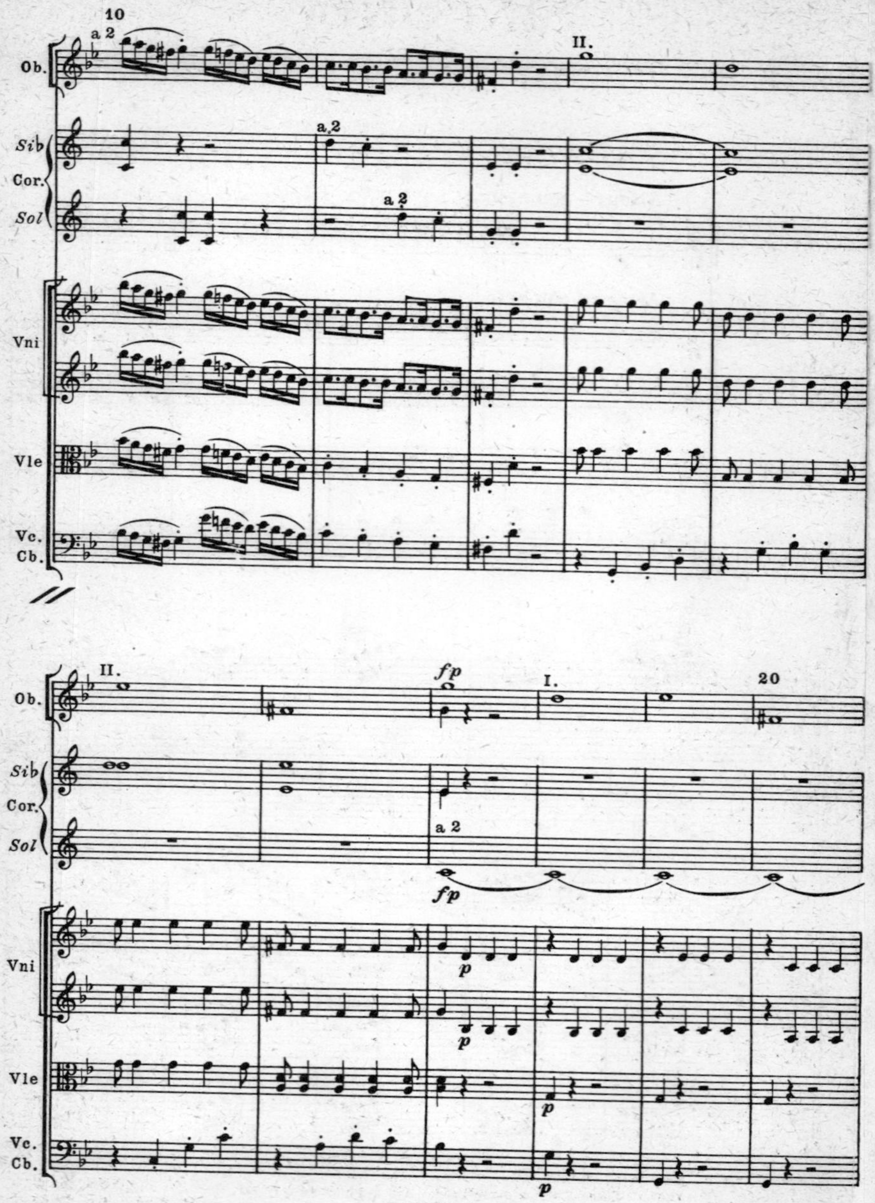

u

Ob.
I.
dim.
Cor.
Sol
a 2
dim.
Vni
dim.
dim.
Vle
dim.
Vc.
Cb.
dim.
30
Ob.
I.
pp
a 2
f
Si♭
Cor.
Sol
a 2
pp
f
a 2
Vni
pp
f
pp
f
Vle
pp
f
Vc.
Cb.
pp
f

u

4

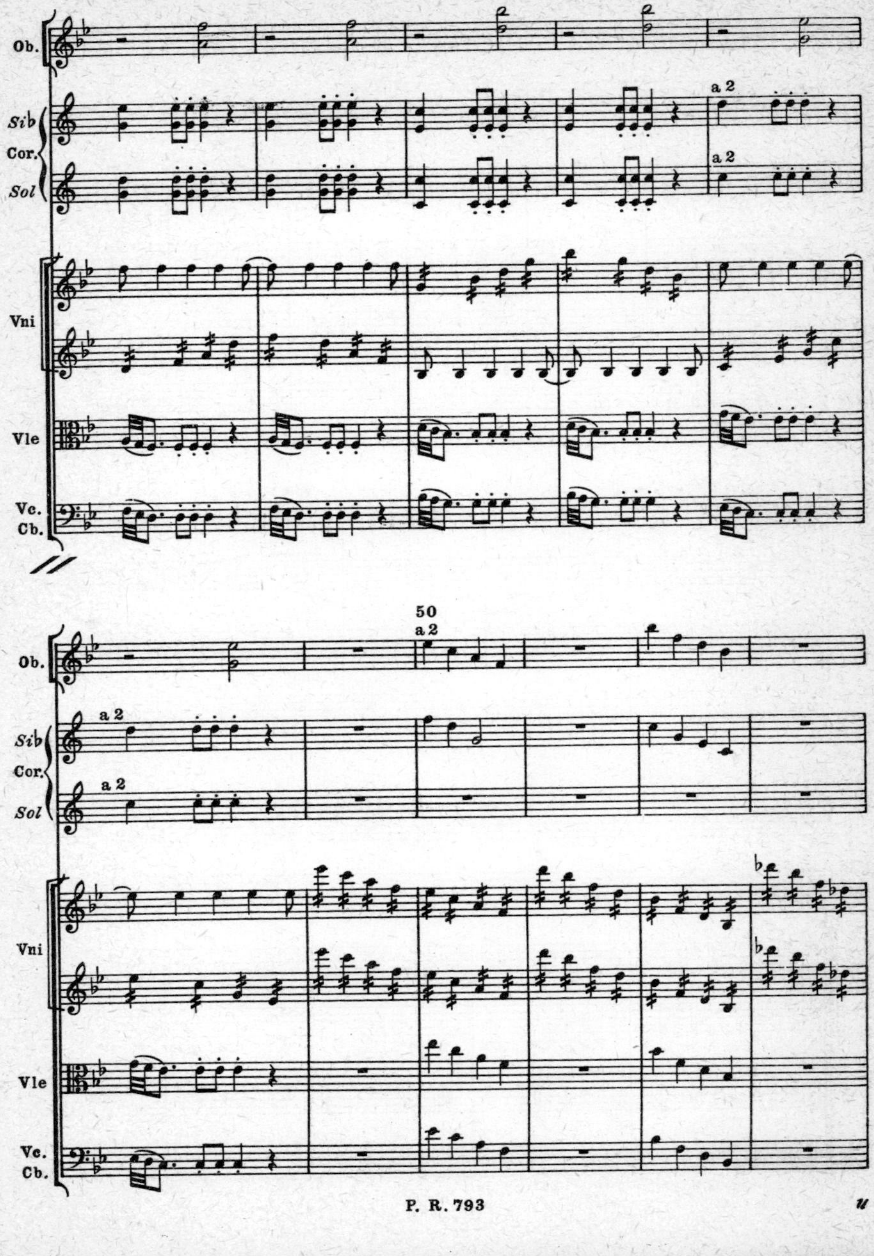

u

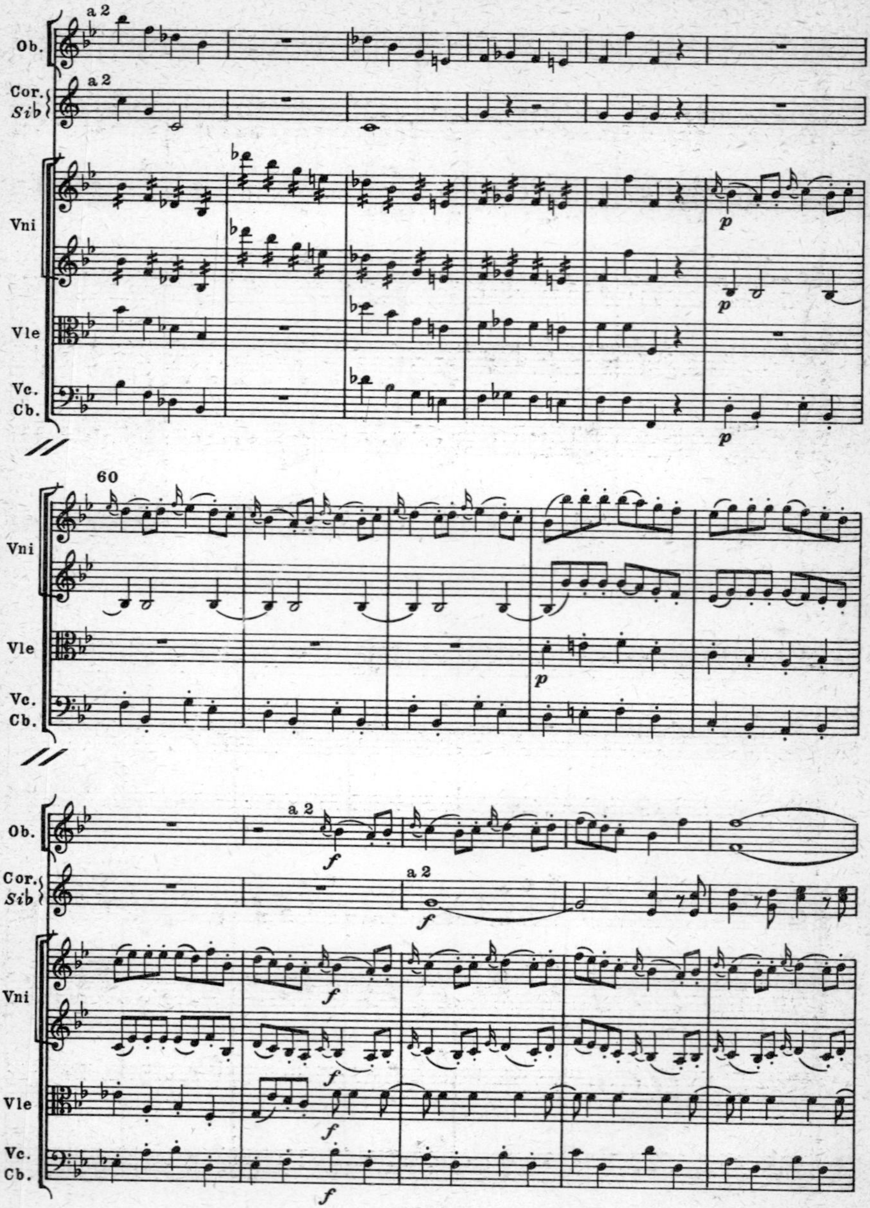

u

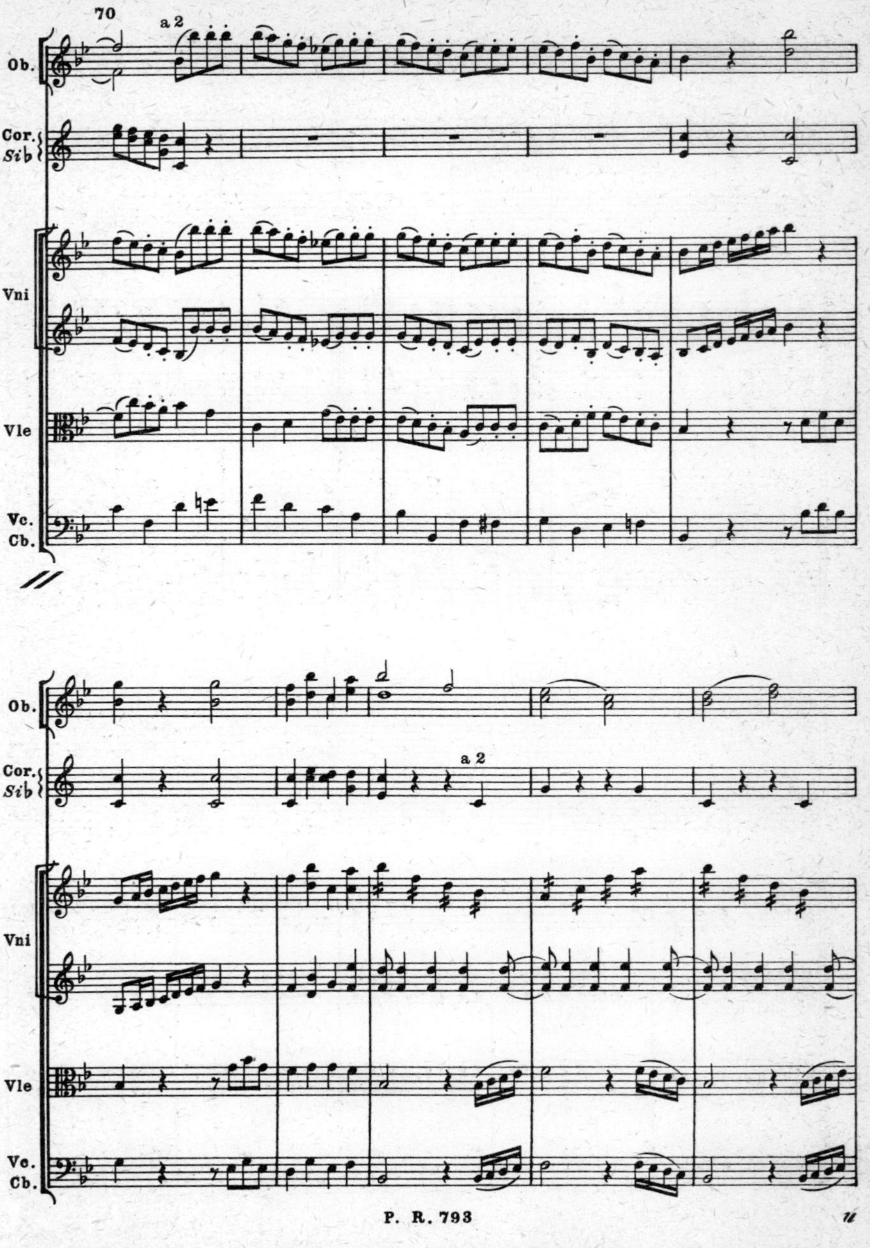

u

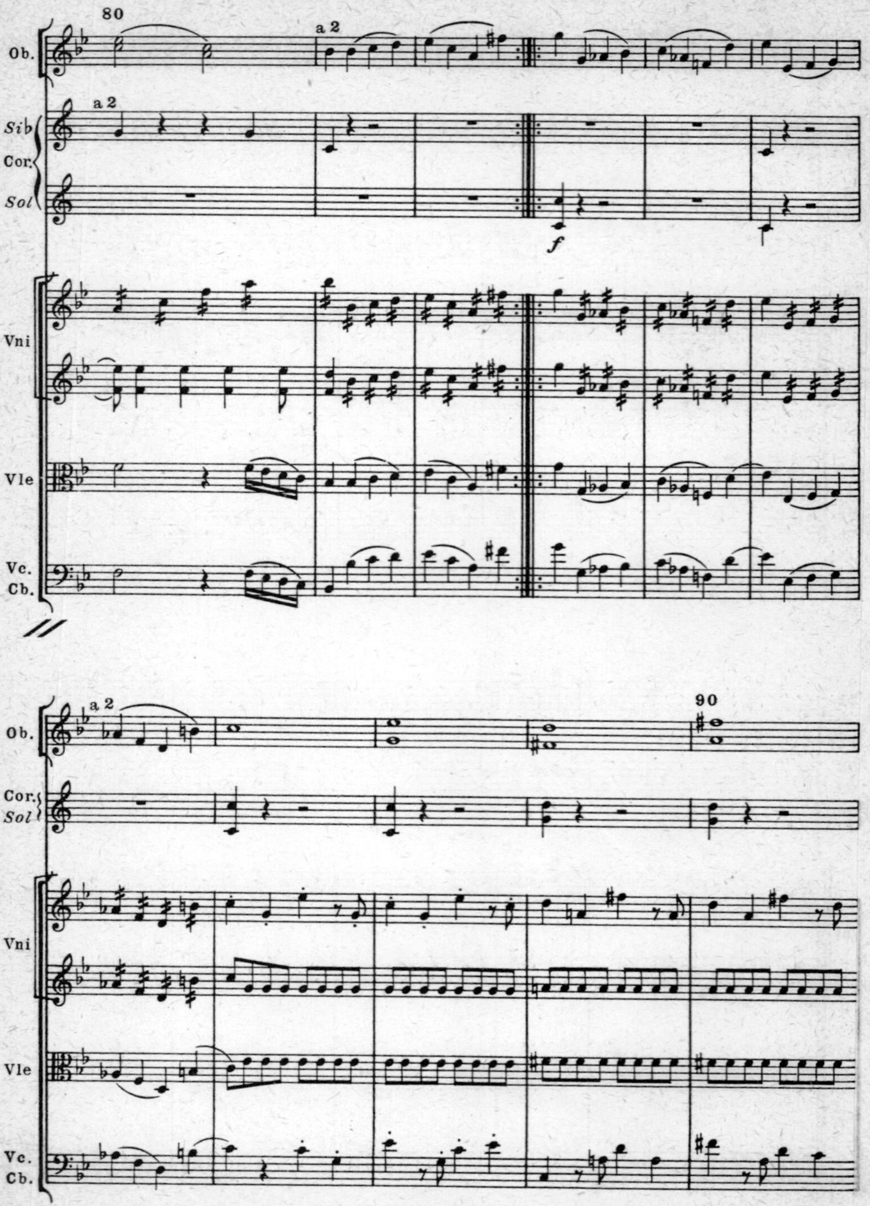
80
Ob.
a 2
Sib
Cor.
Sol
f
Vni
Vle
Vc.
Cb.
90

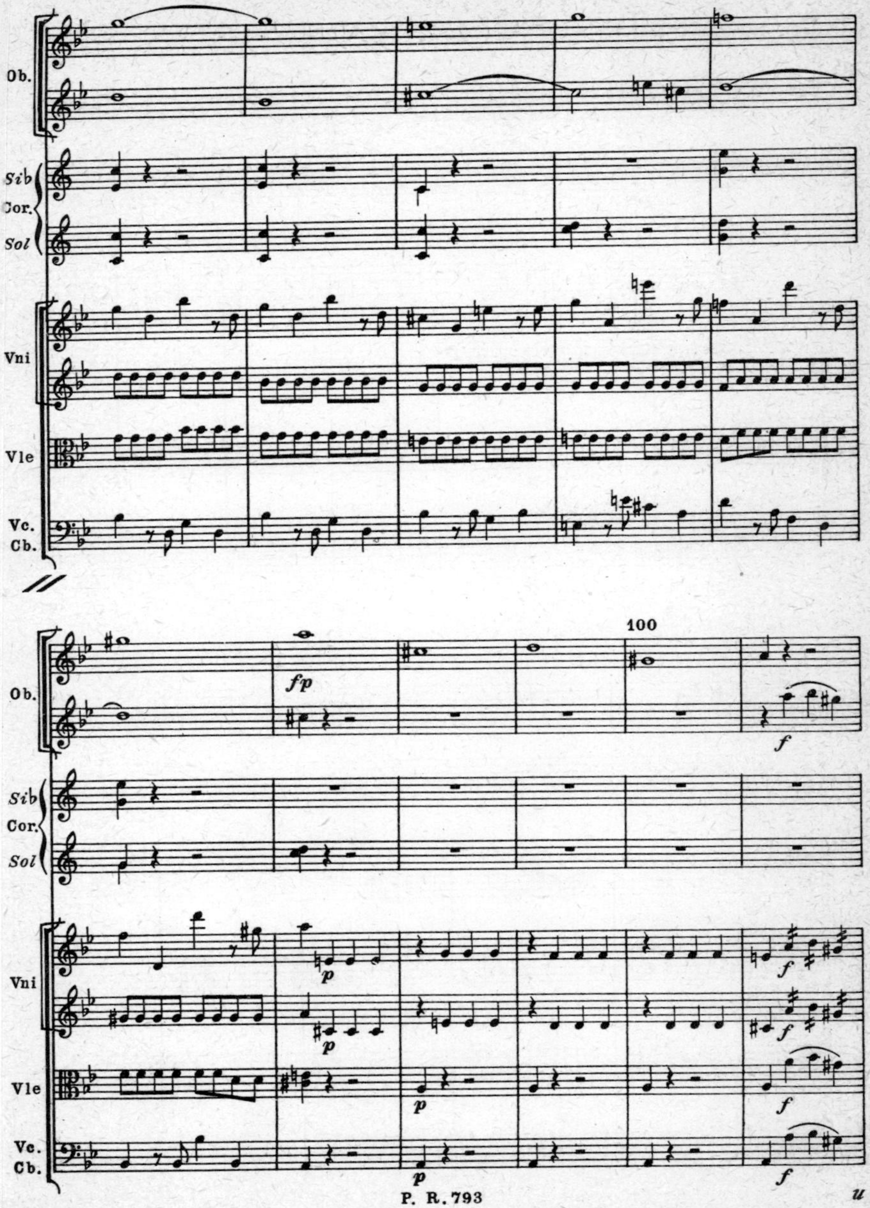

u

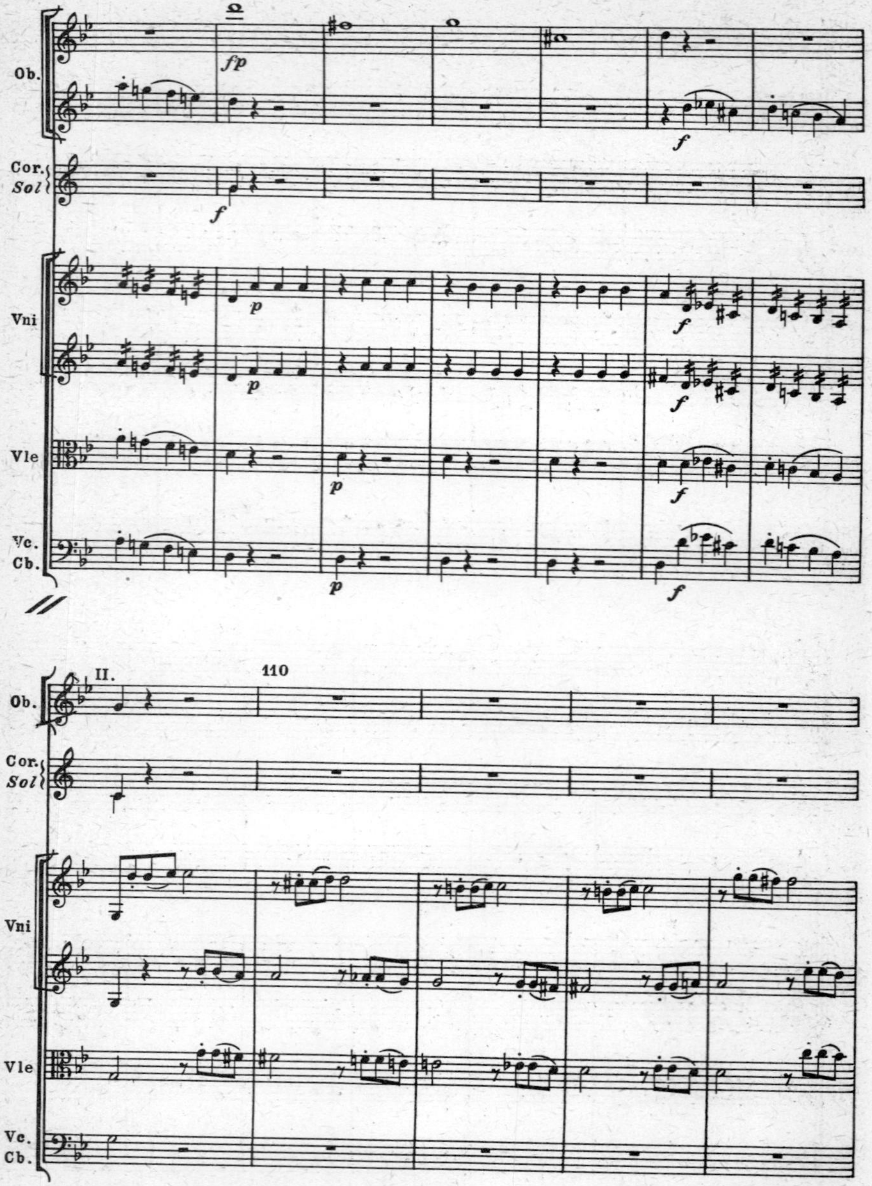
Ob.
fp
f
Cor. Sol
Vni
p
Vle
Vc. Cb.
II.
110

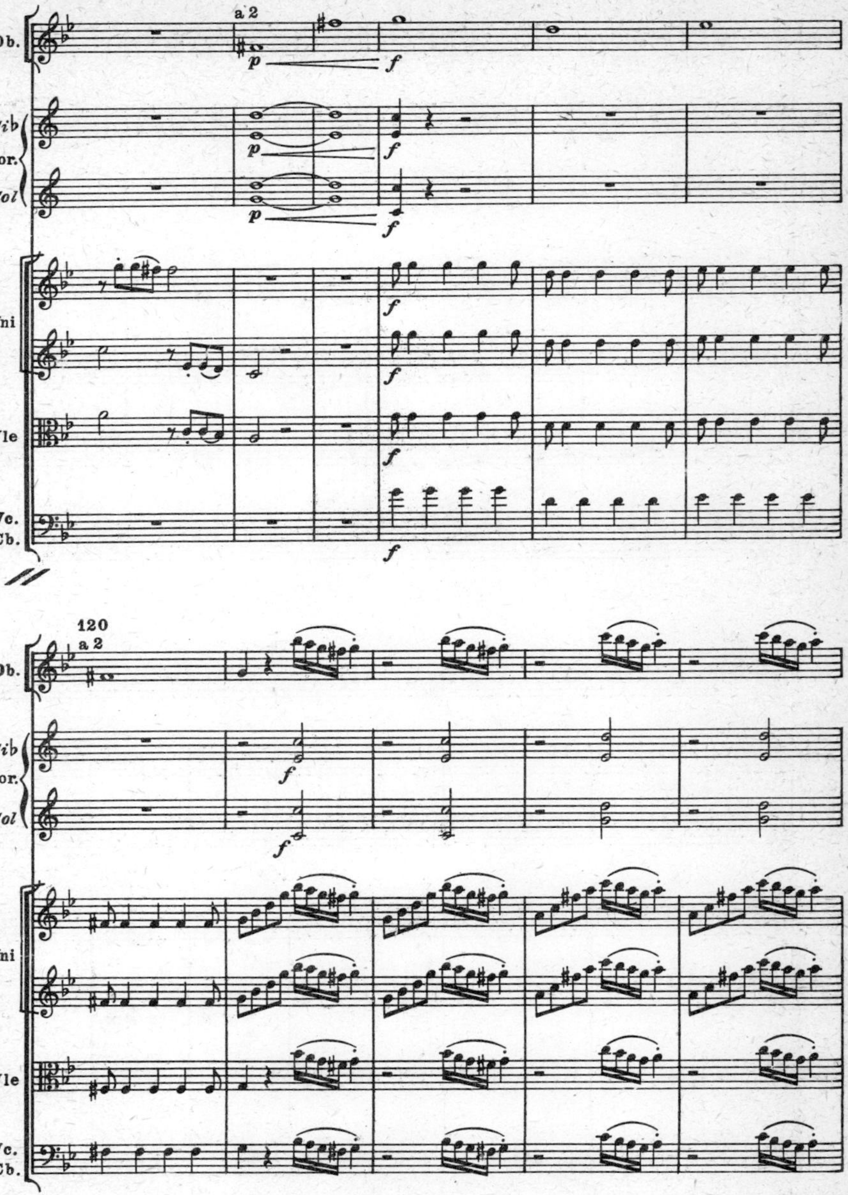

u

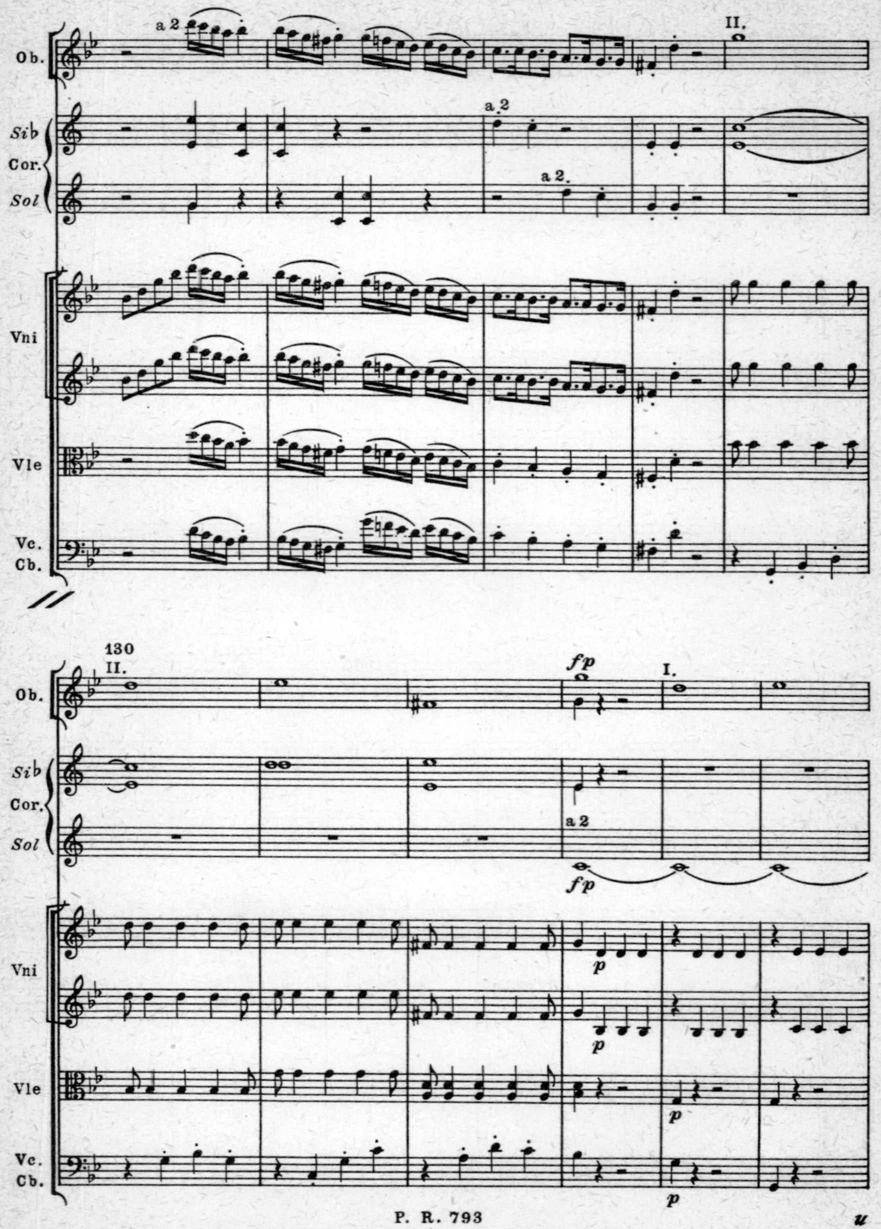

u

140
I.
Ob.
decresc.
a 2
Cor.
Sol
decresc.
Vni
decresc.
decresc.
Vle
decresc.
Vc.
Cb.
decresc.
I.
Ob.
pp
a 2
f
Sib
Cor.
Sol
a 2
a 2
a 2
f
pp
f
Vni
pp
f
pp
Vle
pp
f
Vc.
Cb.
pp
f

u

u

160
Ob.
Sib
Cor
Sol
a 2
Vni
Vle
Vc.
Cb.
Ob.
a 2
a 2
Sib
Cor.
a 2
Sol
Vni
Vle
Vc.
Cb.

170
a 2
Ob.
a 2
Si♭
Cor.
a 2
Sol
Vni
Vle
Vc.
Cb.
180
p
Vni
Vle
Vc.
Cb.
a 2
Ob.
f
Si♭
Cor.
Sol
Vni
Vle
Vc.
Cb.

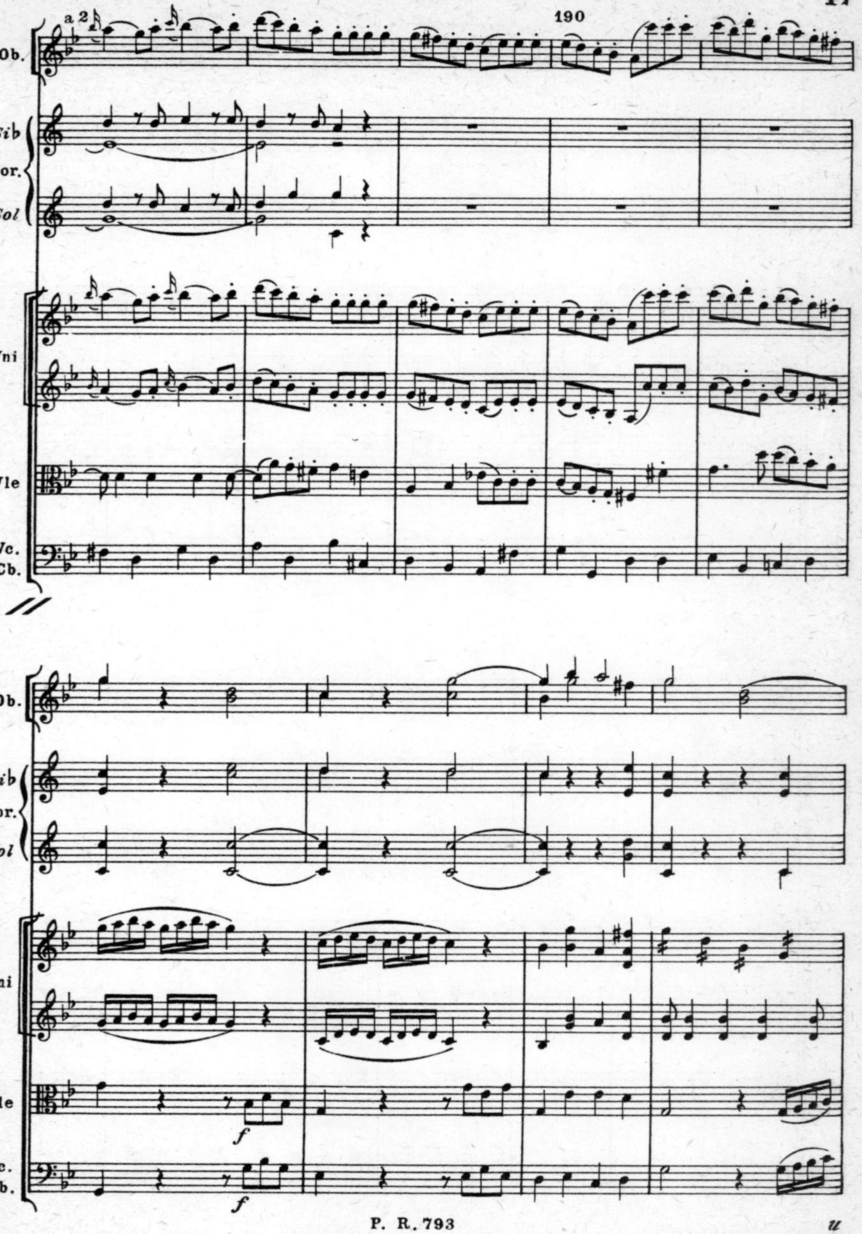

u

200
Ob.
a 2
Sib
Cor.
Sol
a 2
Vni
Vle
Vc.
Cb.
Coda
a 2
Ob.
Sib
Cor.
Sol
a 2
Vni
Vle
Vc.
Cb.

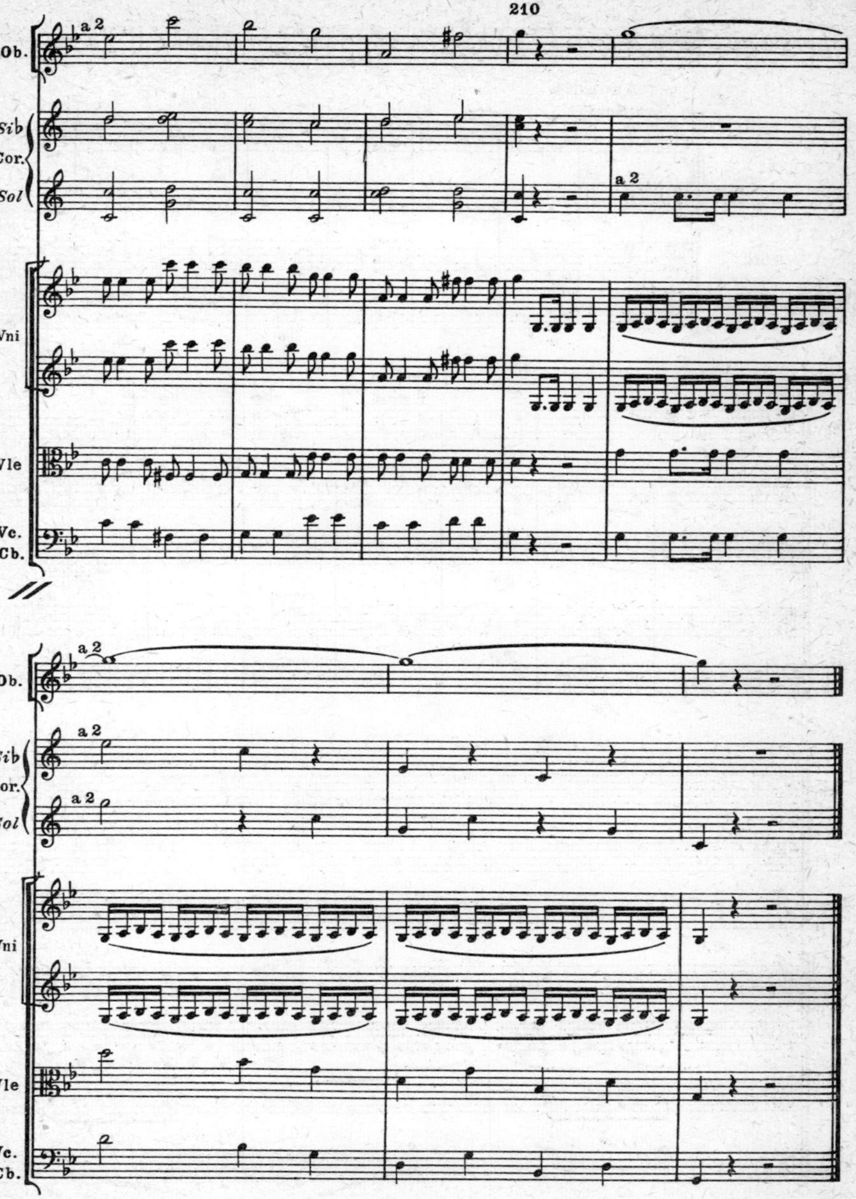

u

Andante
FAGOTTI
fp
Andante
con Sord.
I.
VIOLINI
p
con Sord.
II.
VIOLE
uniti
VIOLONCELLI
CONTRABBASSI
10
Fg.
Vni
Vle
Vc.
Cb.
fp
Ob.
a 2
Cor.
Mib

u

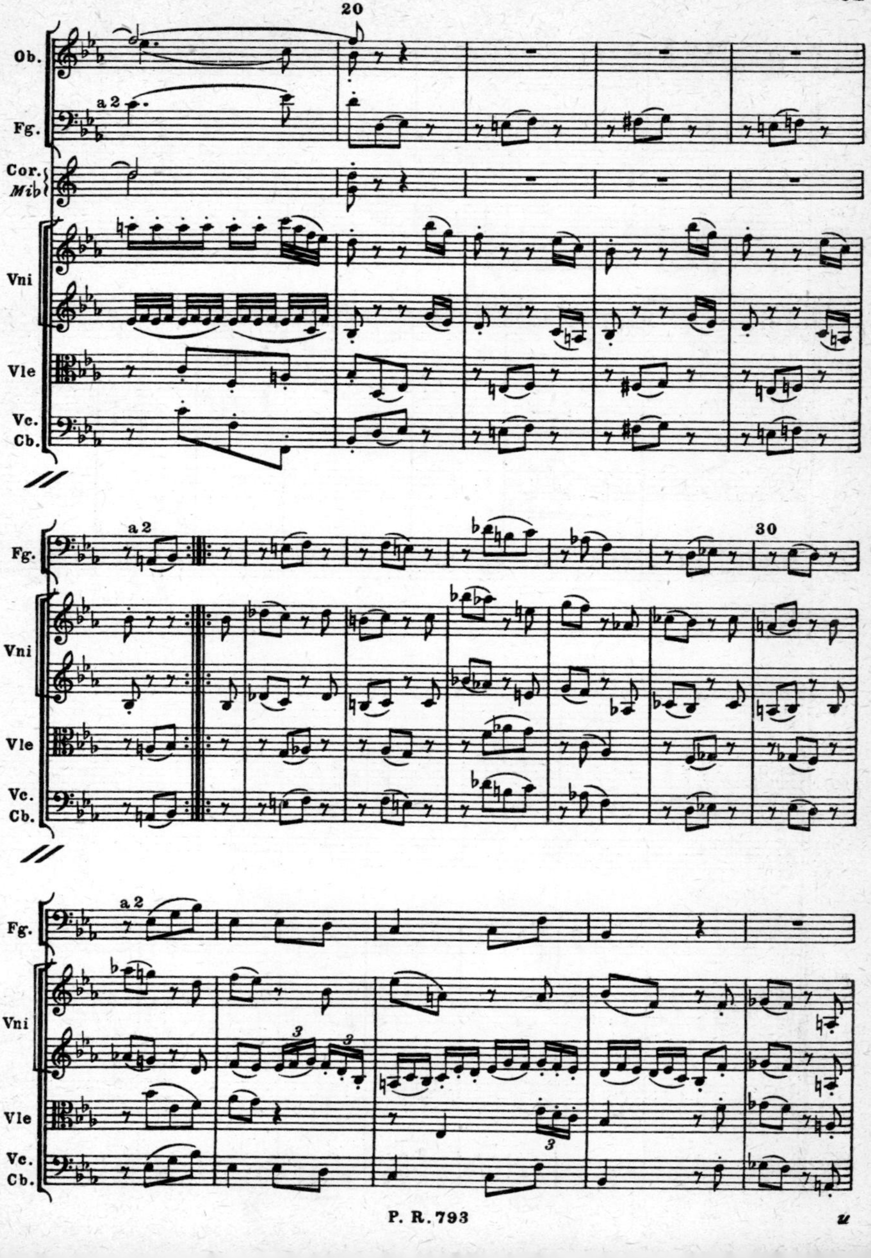

u

40

Ob.

Fg.

Cor.
Mib

Vni

Vle

Vc.
Cb.

50
Ob.
a 2
Fg.
a 2
Cor. Mib
Vni
Vle
Ve. Cb.
60
Ob.
Fg.
Cor. Mib
Vni
Vle
fp
Ve. Cb.
fp

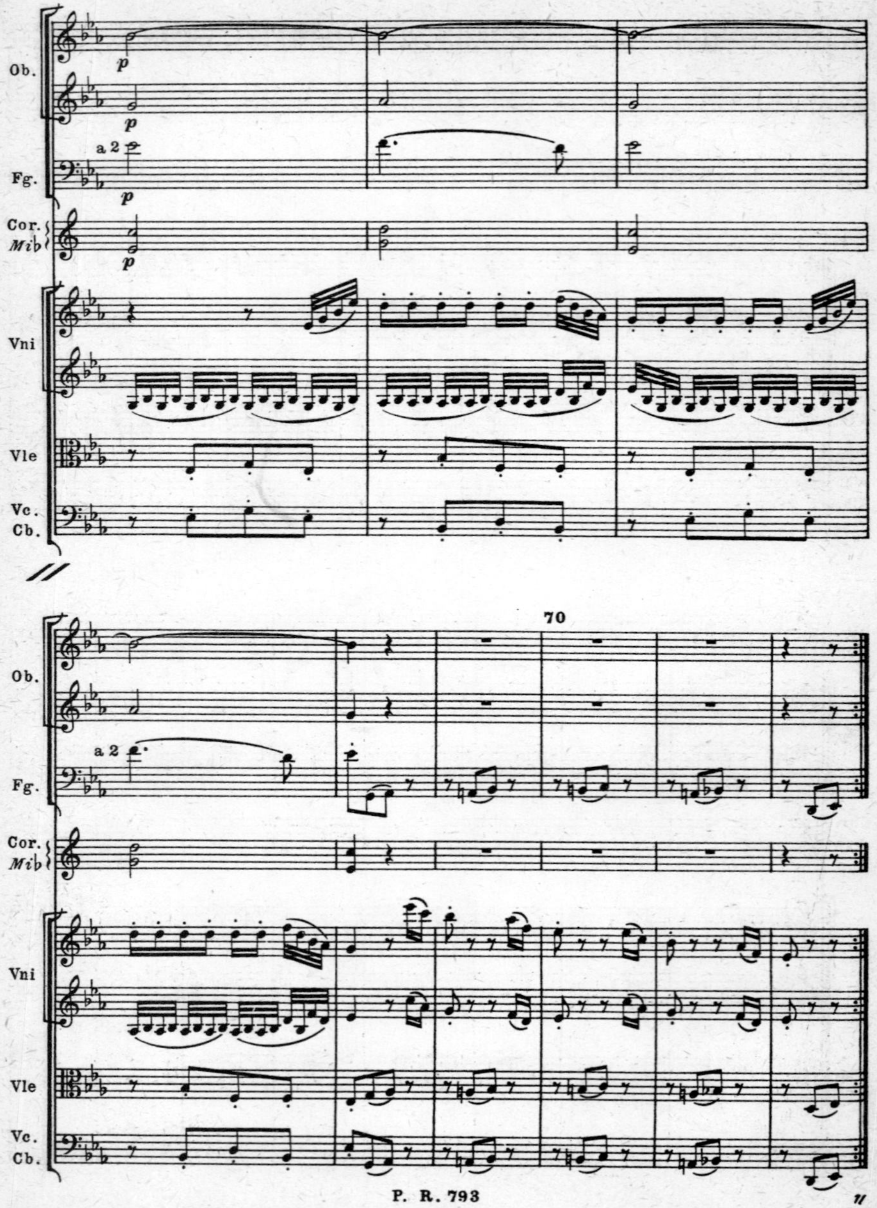
Ob.
Fg.
a 2
Cor.
Mib
Vni
Vle
Vc.
Cb.
p
70

Minuetto

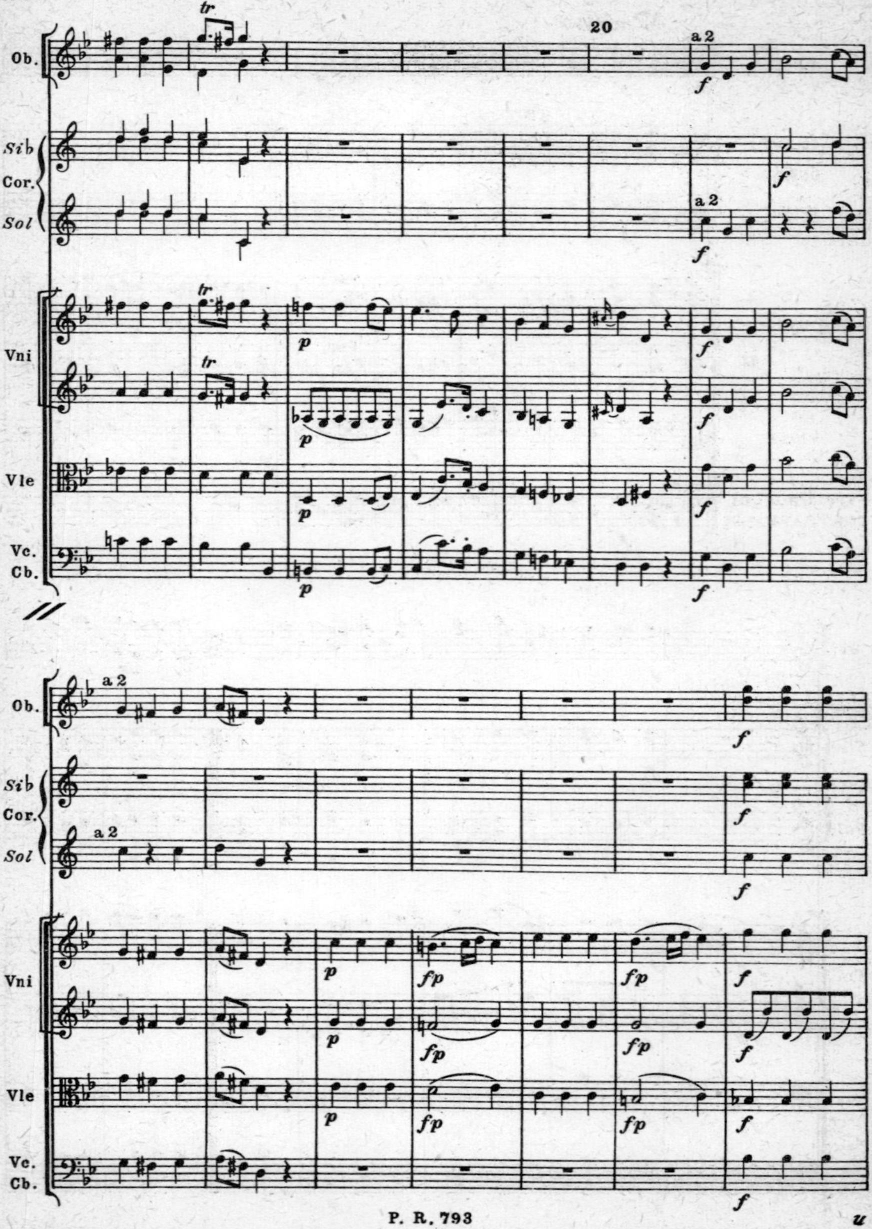

u

30
Ob.
Sib
Cor.
Sol
Vni
Vle
Vc.
Cb.
Trio
40
Ob.
Fg.
a 2
Cor.
Sol
50
Ob.
Fg.
a 2
Cor.
Sol

u

Ob.

Fg.

Cor.
Sol

D.C. Minuetto

Allegro

VIOLINI I.

II.

VIOLE

VIOLONCELLI
CONTRABBASSI

uniti

Ob.

Sib
Cor.

Sol

Vni

Vle

Vc.
Cb.

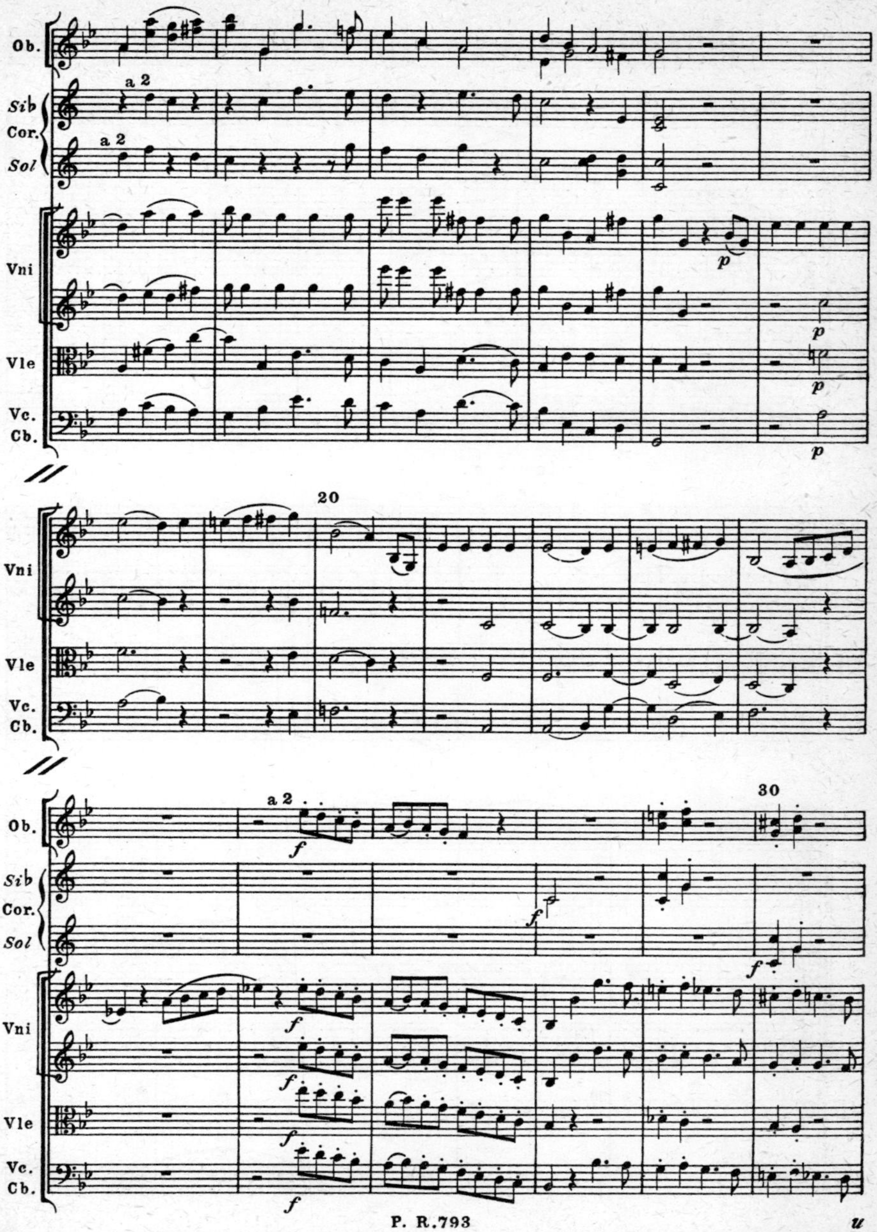
Ob.
a 2
Sib
Cor.
Sol
Vni
Vle
Vc.
Cb.
p
20
30
f

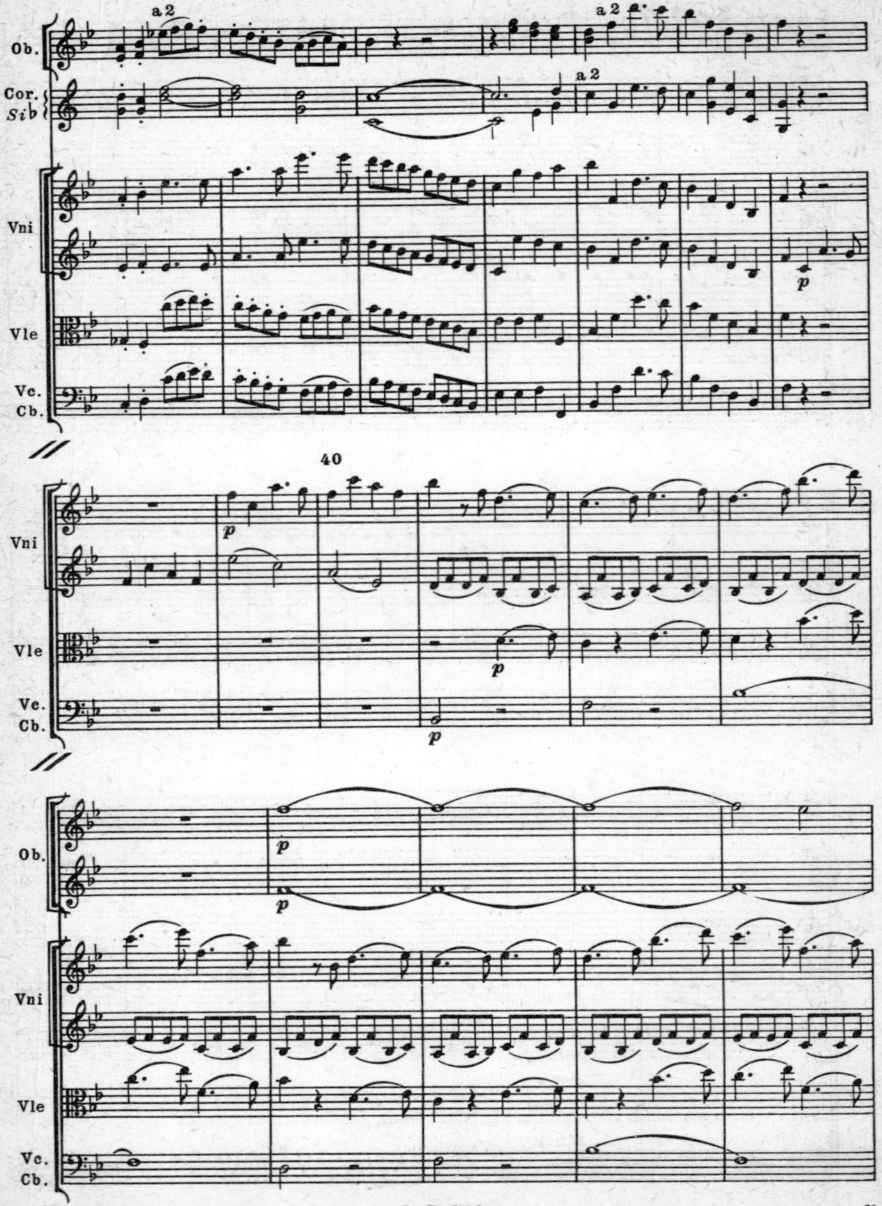
a 2
Ob.
Cor.
Sib
Vni
Vle
Vc.
Cb.
40
p

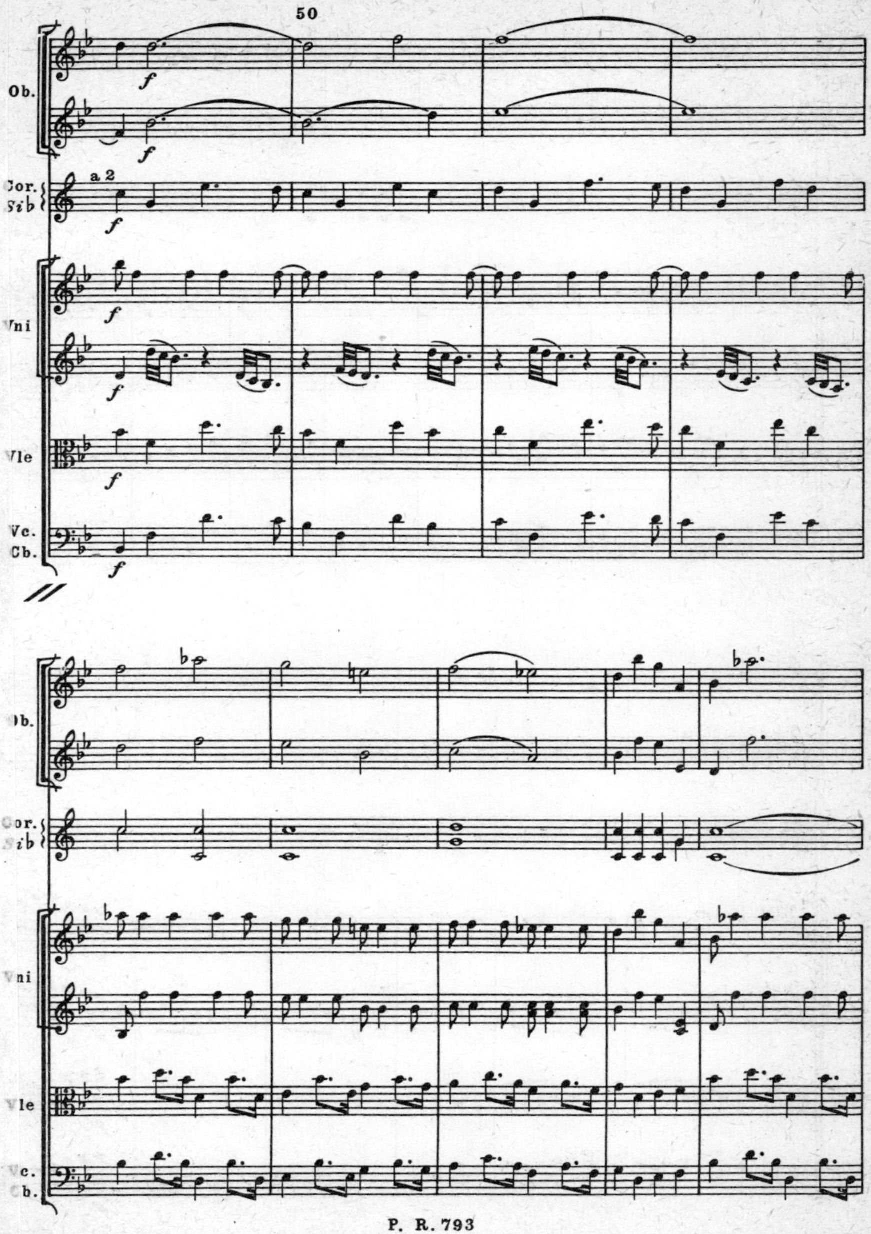
50
Ob.
a 2
Cor.
Sib
Vni
Vle
Vc.
Cb.
f

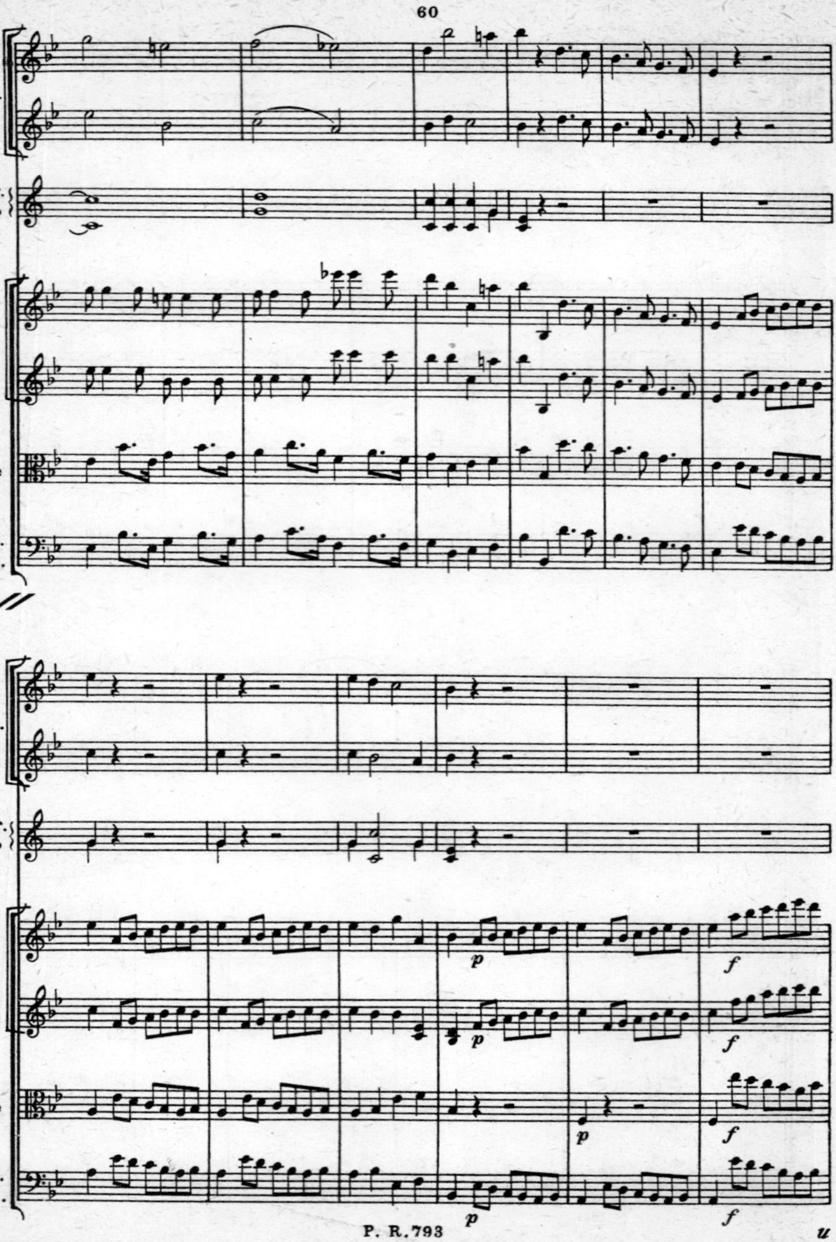

u

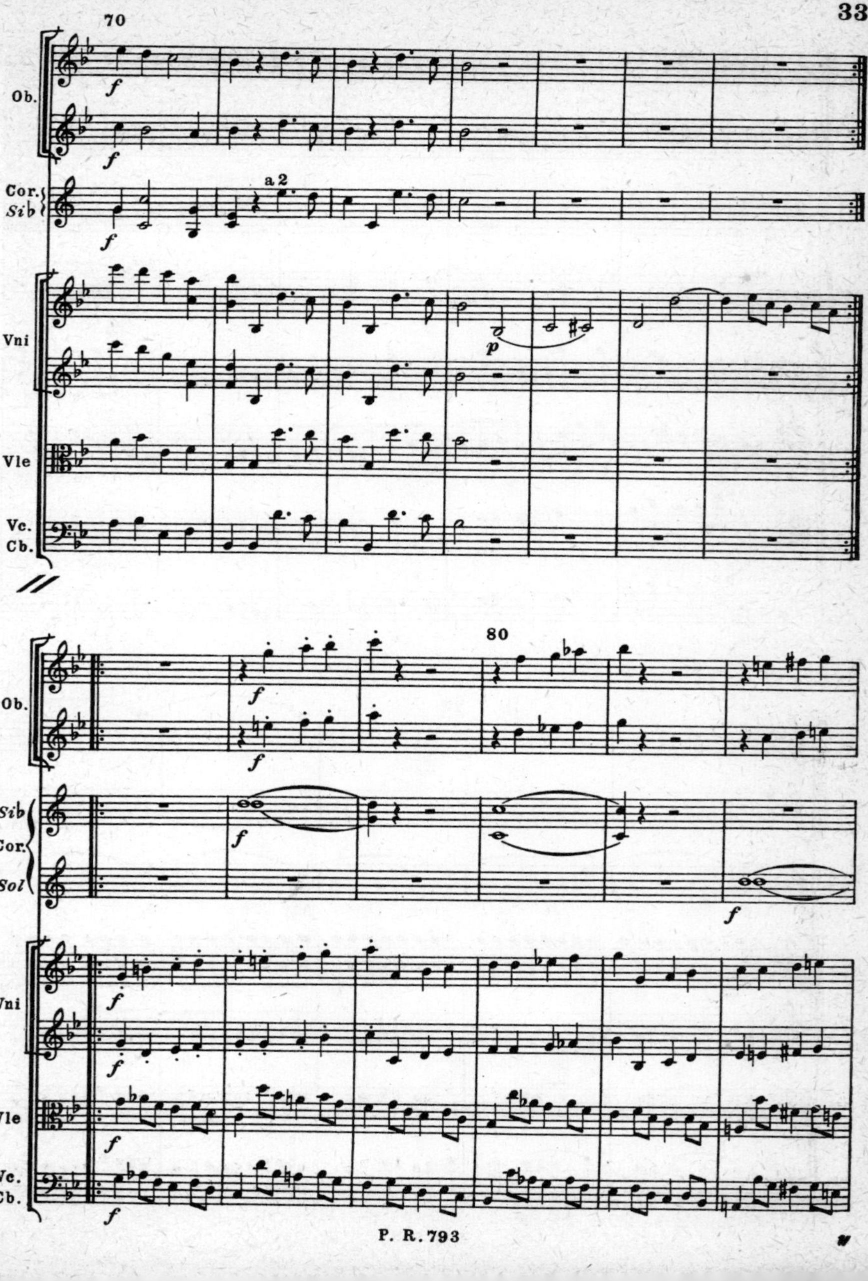
70
Ob.
Cor. Sib
a 2
Vni
Vle
Vc. Cb.
80
Ob.
Sib
Cor.
Sol
Vni
Vle
Vc. Cb.

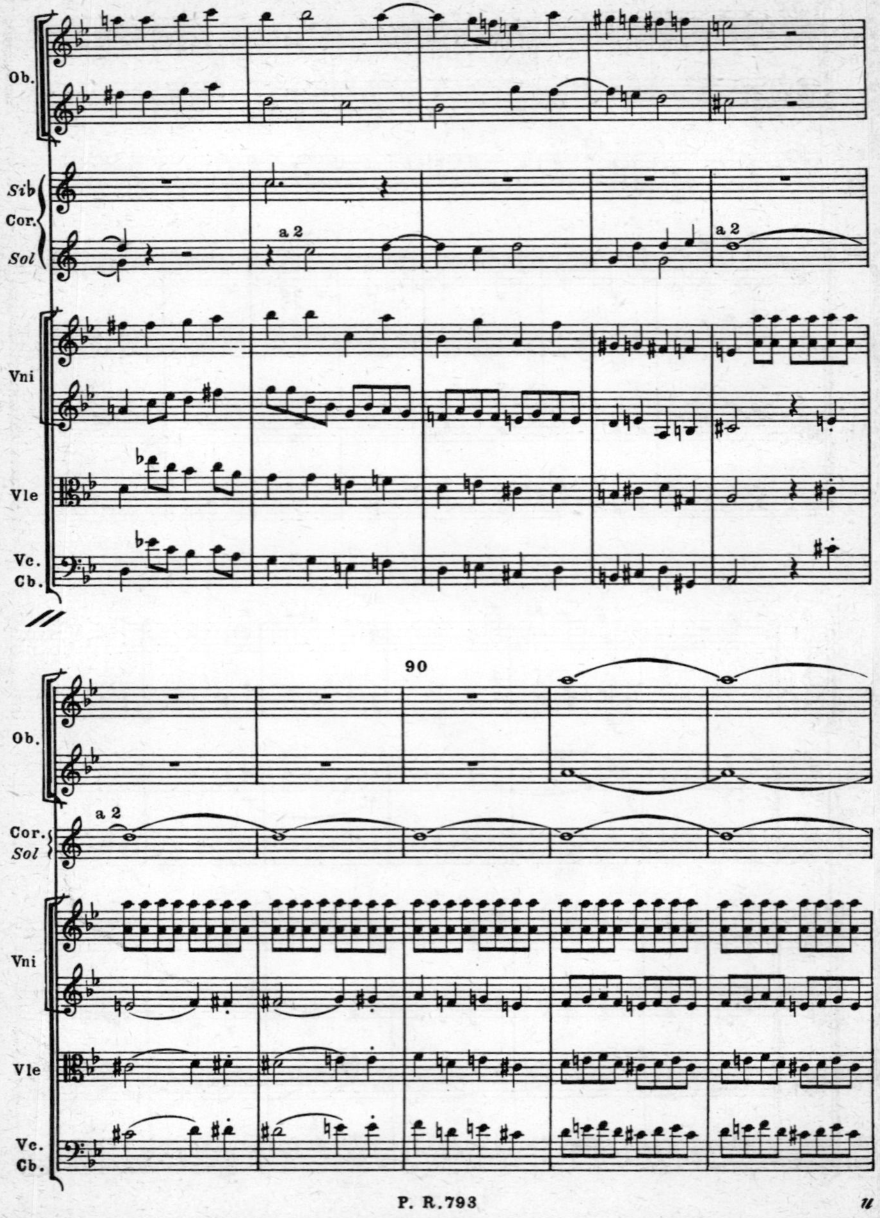
Ob.
Sib
Cor.
Sol
a 2
Vni
Vle
Vc.
Cb.
90

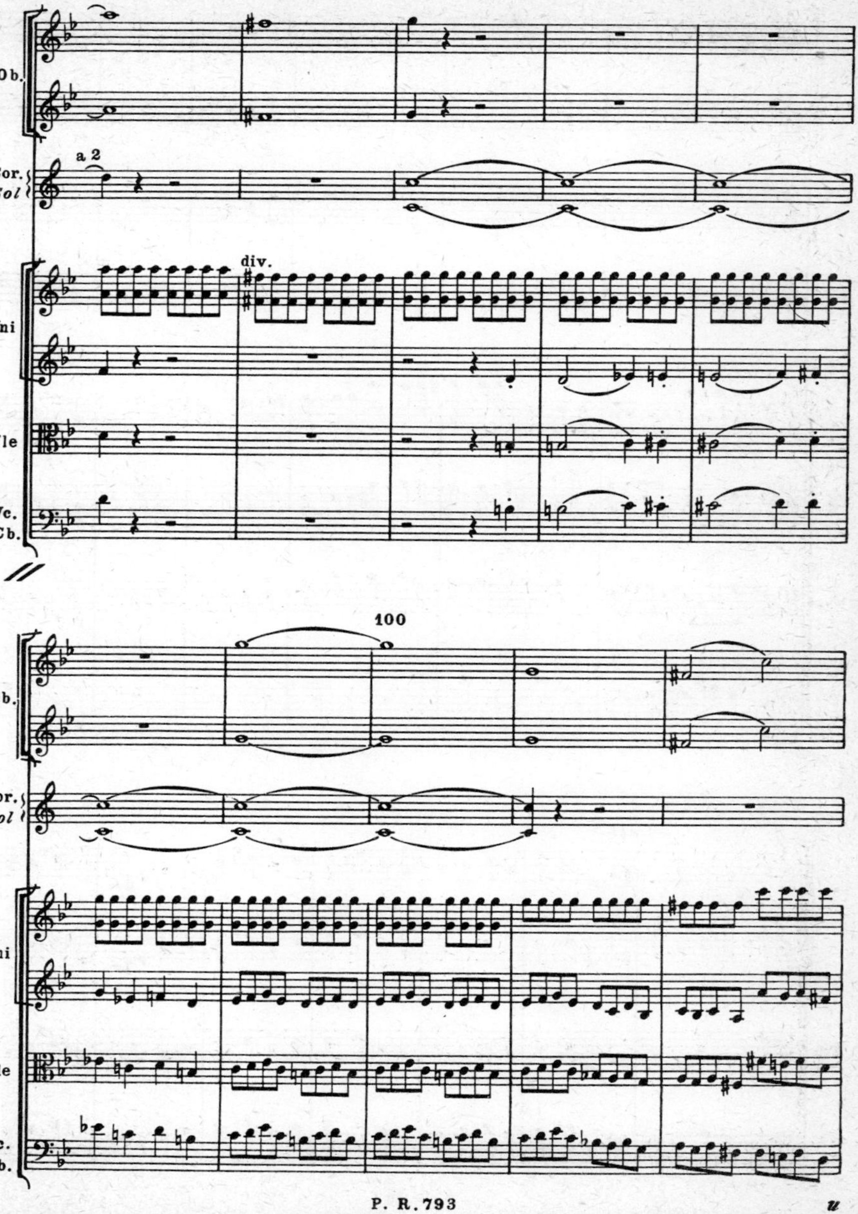
Ob.
Cor.
Sol
a 2
div.
Vni
Vle
Vc.
Cb.
100
Ob.
Cor.
Sol
Vni
Vle
Vc.
Cb.

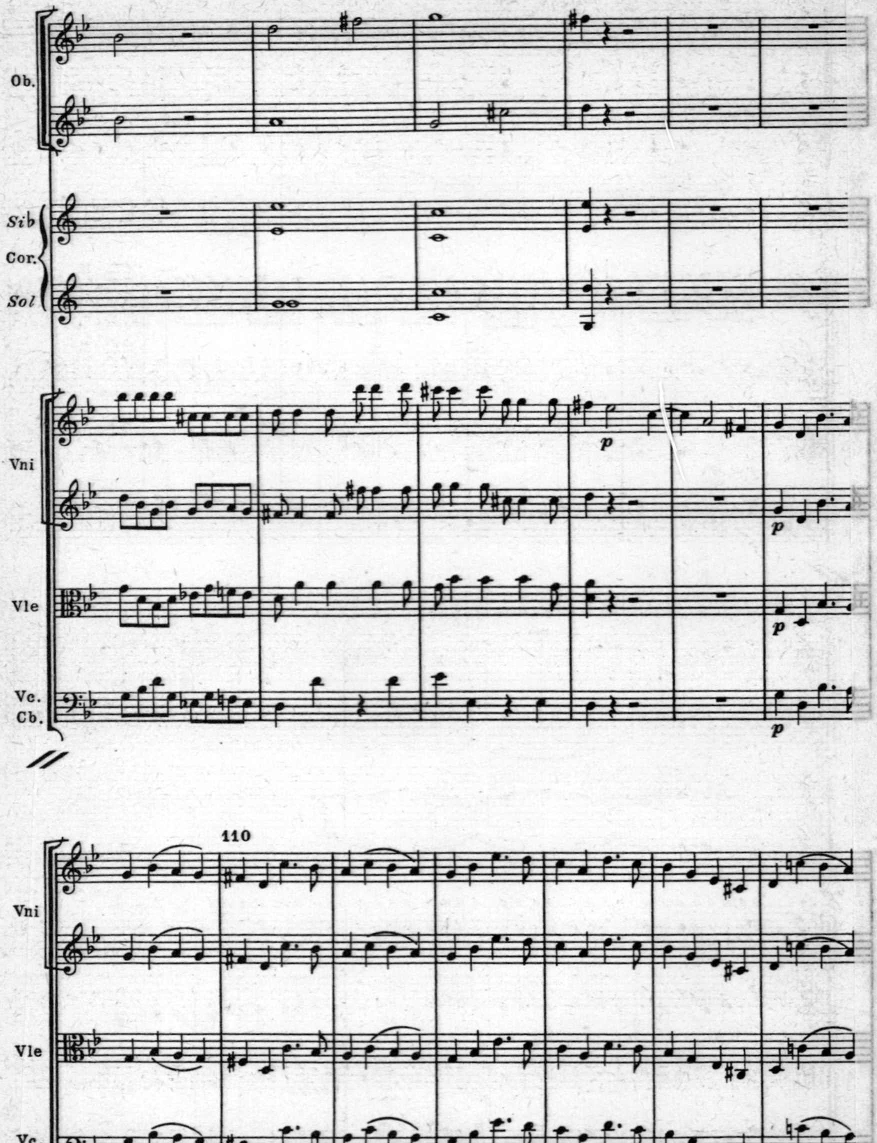
Ob.
Sib
Cor.
Sol
Vni
p
p
Vle
p
Vc.
Cb.
p
110
Vni
Vle
Vc.
Cb.

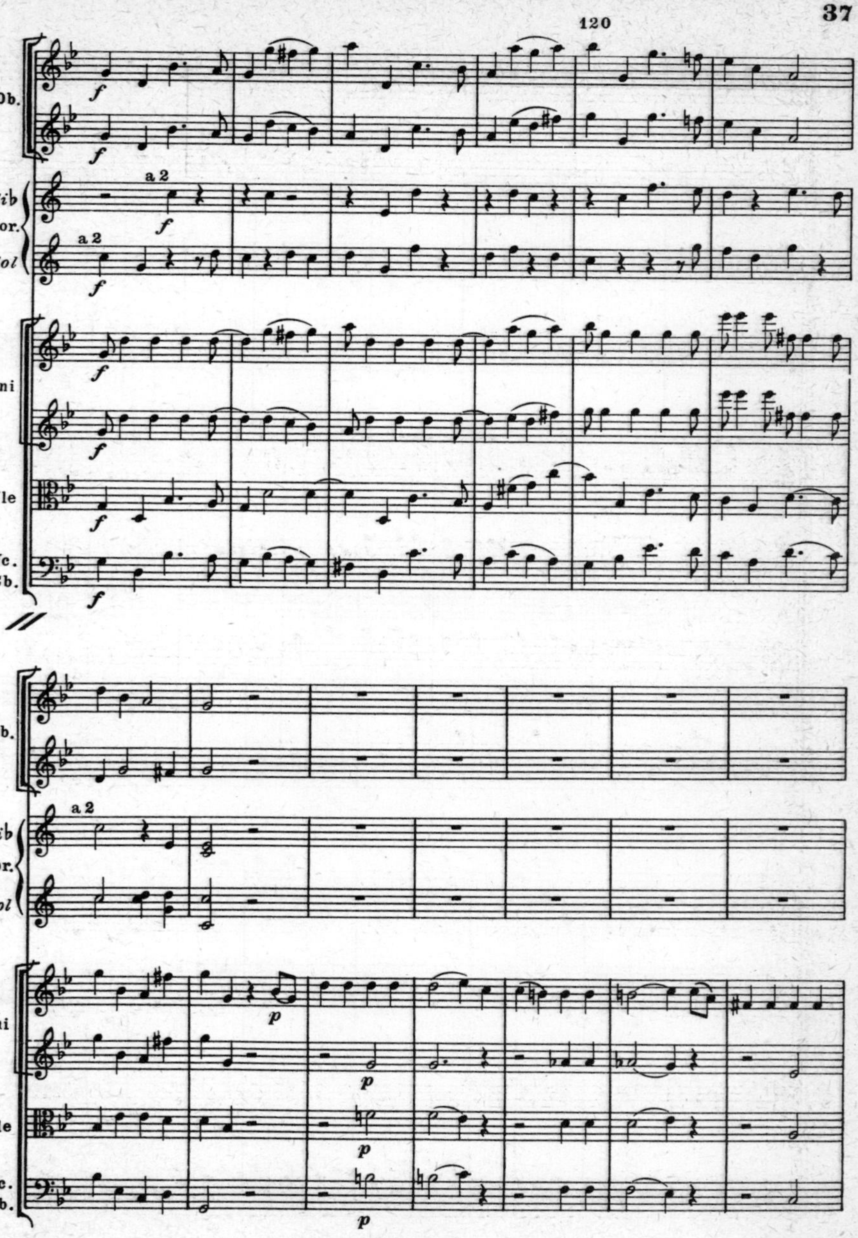
120
Ob.
a 2
Sib
Cor.
Sol
Vni
Vle
Vc.
Cb.
f
p

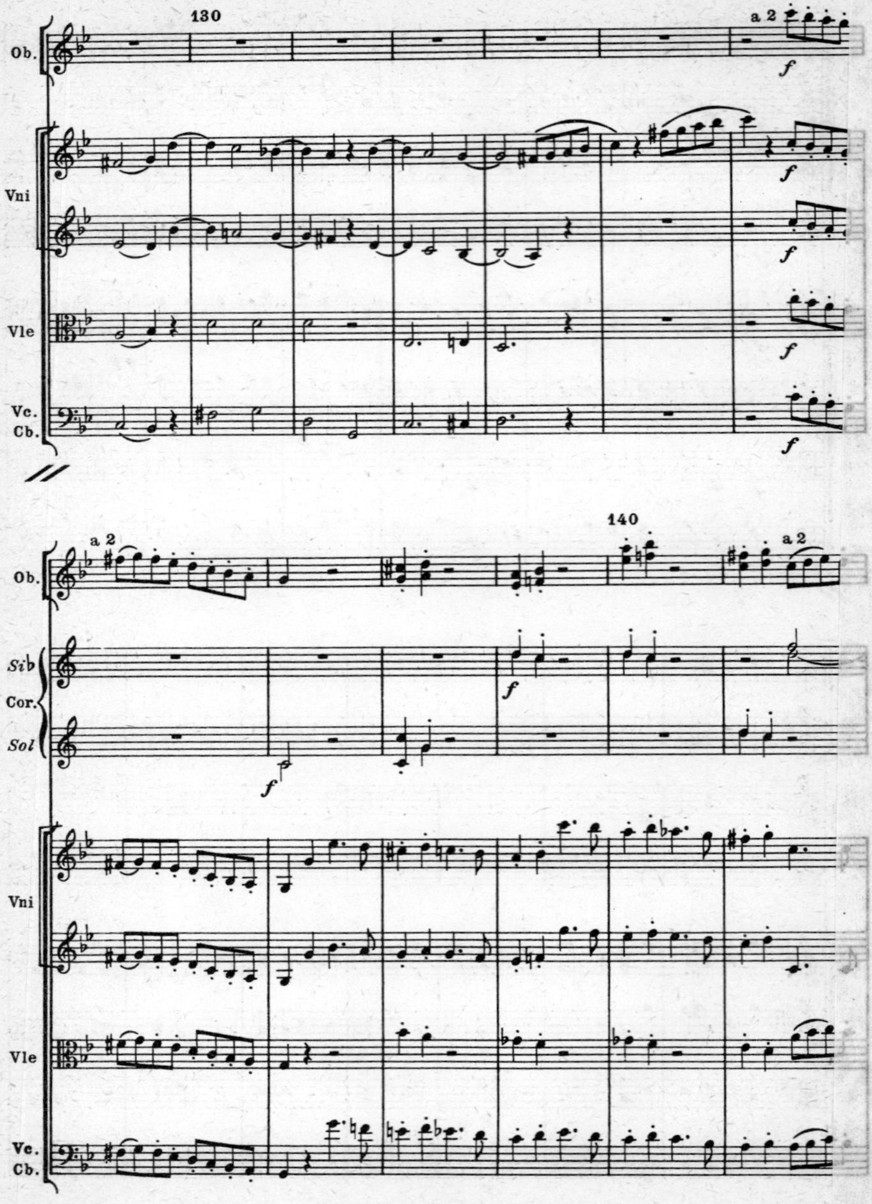
130
a 2
Ob.
Vni
Vle
Vc.
Cb.
140
a 2
Ob.
Si♭
Cor.
Sol
Vni
Vle
Vc.
Cb.

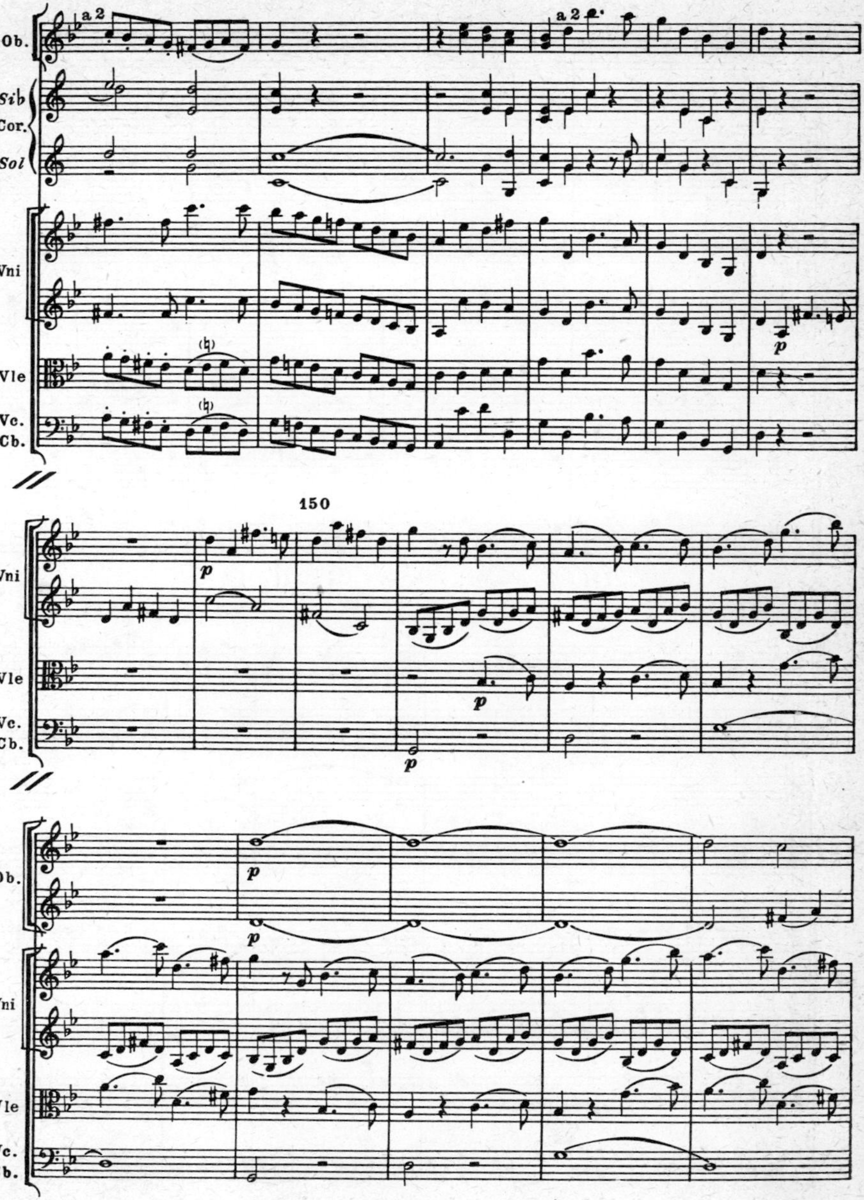
a 2
Ob.
Si♭
Cor.
Sol
Vni
Vle
Vc.
Cb.
(♮)
p
150
Ob.
p

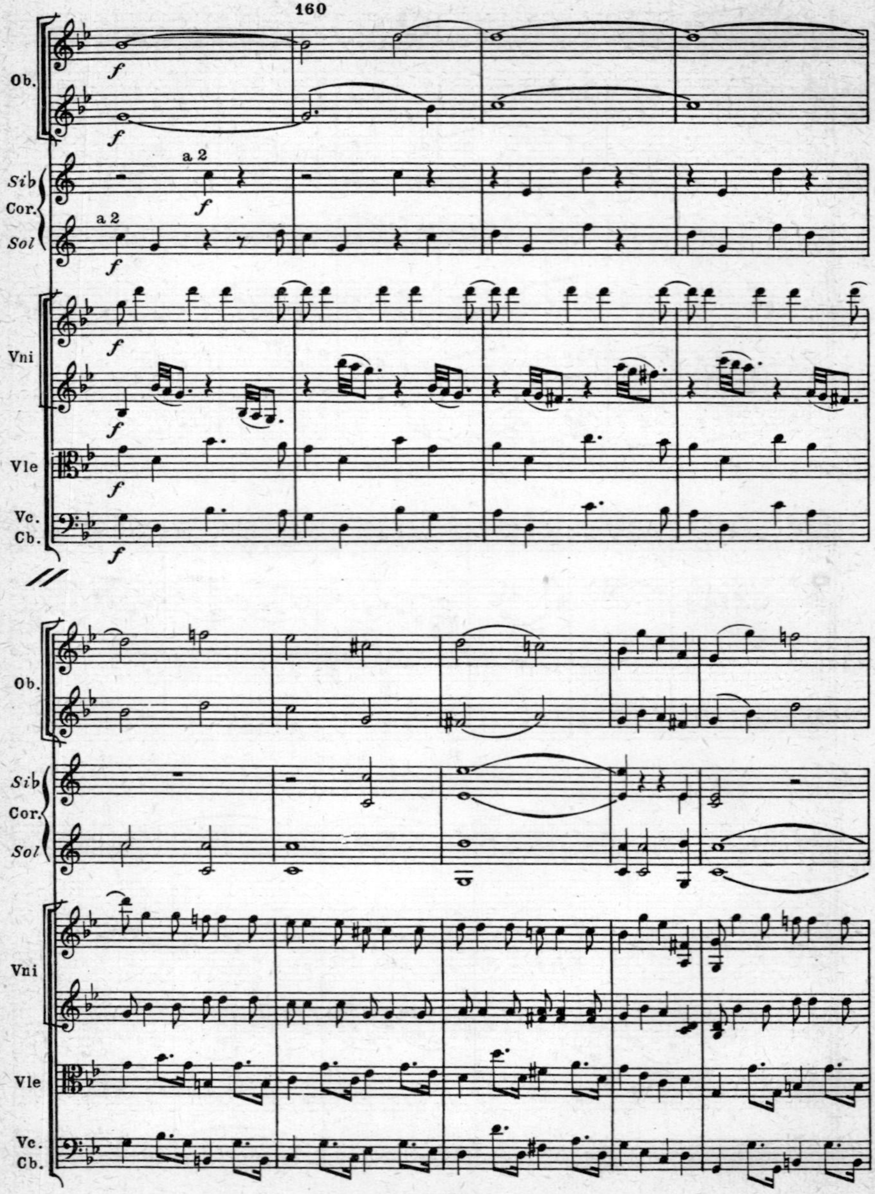
160
Ob.
f
a 2
Sib
Cor.
Sol
Vni
Vle
Vc.
Cb.

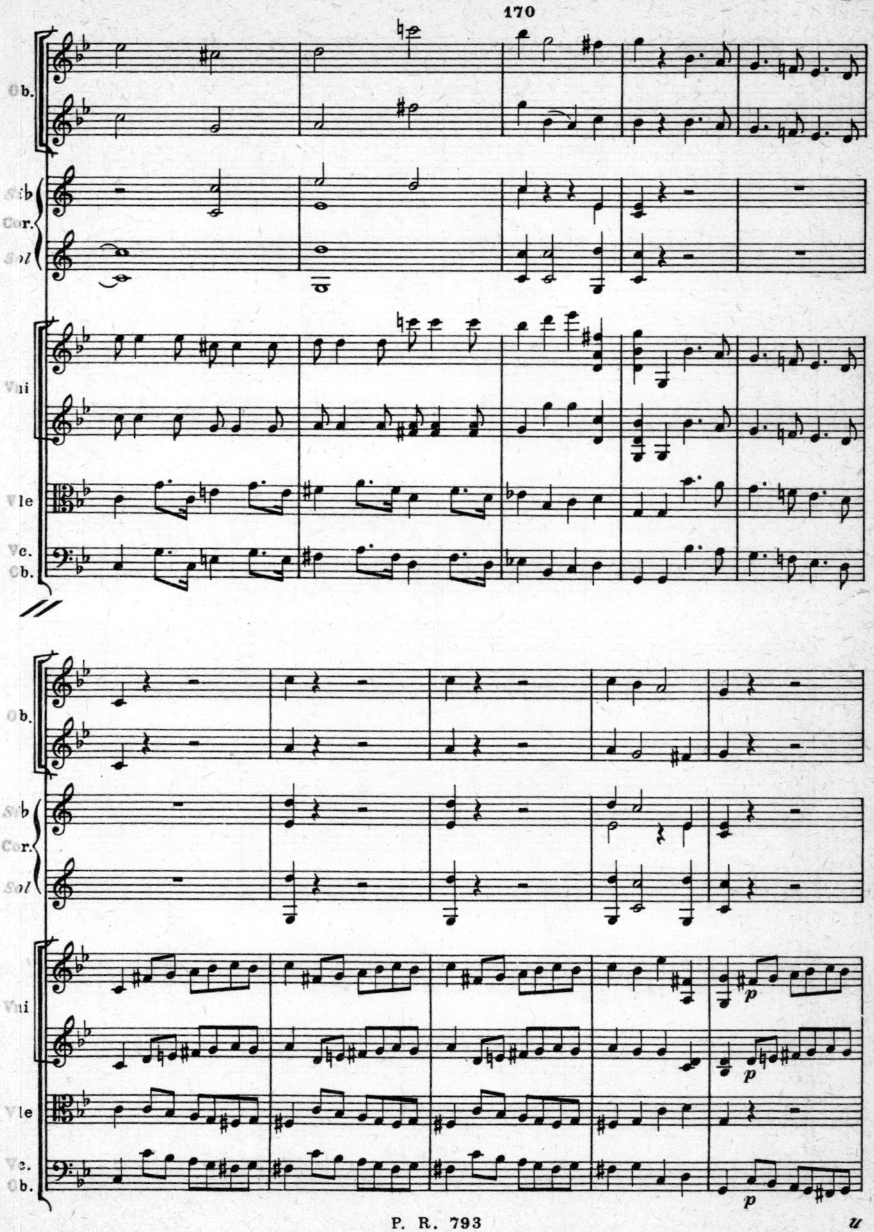
170
Ob.
Sib
Cor.
Sol
Vni
Vle
Vc.
Ob.
Ob.
Sib
Cor.
Sol
Vni
p
p
Vle
Vc.
Ob.
p

Fn

PARTITURE
CLASSICHE E MODERNE

**Le partiture sono in formato 16° ad eccezione
di quelle precedute da un asterisco che sono in-8°.**

ALFANO

*P.R.	226	Divertimento, per orchestra ridotta e pianoforte obbligato
P.R.	526	Eliana. Balletto su motivi popolari italiani

AVSHALOMOV

N.Y.	1675	Peiping hutungs. Symphonic poem

BACH J. S.

P.R.	634	Cantata n. 53 : Vieni omai, minuto estremo (it.-ted.)
P.R.	635	n. 56 : La dura croce vo' portare (it.-ted.)
P.R.	636	n. 85 : Io sono un buon pastore (it.-ted.)
P.R.	637	n. 104 : Pastore d'Israel, m'odi (it.-ted.)
P.R.	638	n. 211 : Silenzio ! zitti là ! (Cantata del caffè) (it.-ted.)
P.R.	387	Concerto brandeburghese n. 1 in fa
P.R.	388	n. 2 in fa
P.R.	252	n. 3 in sol
P.R.	322	n. 4 in sol
P.R.	253	n. 5 in re
P.R.	323	n. 6 in si bem.
P.R.	733	6 Concerti brandeburghesi (rilegati in tela e oro con astuccio)
P.R.	486	Concerto in la min., per v.no e orch.
P.R.	487	Concerto in mi, per v.no e orch.
P.R.	488	Concerto in la min., per 4 pf.
P.R.	616	Sonata in do n. 1
P.R.	617	id. in si min. n. 2

BACH J. S. - RESPIGHI

P.R.	531	Passacaglia in do min. (dall'organo)
P.R.	545	Preludio e fuga in re (dall'organo)

BEETHOVEN

P.R.	489	Concerto n. 3 in do min., op. 37, per pf. e orch.
P.R.	490	n. 4 in sol, op. 58
P.R.	491	n. 5 in mi bem., op. 73
P.R.	492	Concerto in re, op. 61, per v.no e orch.
P.R.	366	Coriolano. Ouverture, op. 62
P.R.	367	Egmont. Ouverture, op. 84
P.R.	368	Leonora n. 3. Ouverture, op. 72 a
P.R.	370	Quartetto in fa, op. 18 n. 1, per archi

BEETHOVEN (segue)

P.R.	371	in sol, op. 18 n. 2
P.R.	372	in re, op. 18 n. 3
P.R.	373	in do min., op. 18 n. 4
P.R.	374	in la, op. 18 n. 5
P.R.	375	in si bem., op. 18 n. 6
P.R.	380	in fa, op. 59 n. 1
P.R.	376	in mi min., op. 59 n. 2
P.R.	377	in do, op. 59 n. 3
P.R.	400	in mi bem., op. 74 : Arpa
P.R.	416	in fa min., op. 95
P.R.	401	in mi bem., op. 127
P.R.	402	in si bem., op. 130
P.R.	403	in do diesis min., op. 131
P.R.	404	in la min., op. 132
P.R.	405	in si bem., op. 133 : Fuga
P.R.	406	in fa, op. 135
P.R.	670	17 Quartetti (rilegati in tela e oro con astuccio)
P.R.	623	Rondino in mi bem, op. post.
P.R.	467	Settimino in mi bem., op. 20
P.R.	650	Sinfonie (rilegate in tela e oro con astuccio). Vol. I (1 a 5)
P.R.	651	Vol. II (6 a 9)
		Sinfonie, staccate :
P.R.	381	n. 1 in do, op. 21
P.R.	382	n. 2 in re, op. 36
P.R.	324	n. 3 in mi bem., op. 55 : Eroica
P.R.	383	n. 4 in si bem., op. 60
P.R.	325	n. 5 in do min., op. 67
P.R.	326	n. 6 in fa, op. 68 : Pastorale
P.R.	384	n. 7 in la, op. 92
P.R.	385	n. 8 in fa, op. 93
P.R.	386	n. 9 in re min., op. 125
P.R.	431	Trio in re per archi, op. 8 : Serenata
P.R.	615	in re op. 25, per flauto, v.no e v.la (Serenata)

BETTINELLI

*	126801	Divertimento, per piccola orch.
*	124971	2 Invenzioni, per orch. d'archi

BOCCHERINI

P.R.	657	3 Quartetti op. 6 n. 1, 2, 3
P.R.	658	3 id. op. 6 n. 4, 5, 6
P.R.	659	3 id. op. 1 n. 1. op. 10 n. 4, op. 27 n. 4
P.R.	660	3 id. op. 10 n. 1, op. 33 n. 6, op. 27 n. 3

BORODIN

P.R.	532	Nelle steppe dell'Asia centrale
P.R.	468	Quartetto in re, per archi

archi = cordes, strings, streicher

BRAHMS

P.R.	493	Concerto n. 2 in mi bem., op. 83, per pf. e orch.
P.R.	494	Concerto in re, op. 77, per v.no e orch.
P.R.	606	Ouverture tragica, op. 81
P.R.	417	Quartetto in do min., op. 51 n. 1, per archi
P.R.	418	in la min., op. 51 n. 2
P.R.	419	in si bem., op. 67
P.R.	483	Quintetto in fa min. op. 34, per pf. e archi
P.R.	482	in si min.. op. 115, per cl. e archi
P.R.	611	Sinfonie (1 a 4) riunite (rilegate in tela e oro, con astuccio)
		Sinfonie, staccate:
P.R.	327	n. 1 in do min., op. 68
P.R.	328	n. 2 in re, op. 73
P.R.	389	n. 3 in fa, op. 90
P.R.	369	n. 4 in mi min., op. 98
P.R.	607	Variazioni su un tema di Haydn, op. 56 a

BUSTINI

P.R.	675	2º Quartetto, per archi

CASELLA

P.R.	731	Concerto, op. 56, per pf., v.no, vc. e orch.
	118810	Le Couvent sur l'eau. Azione mimo-coreografica. Brani sinfonici
*P.R.	241	Notturno e tarantella, per vc. e orch.

CASTELNUOVO-TEDESCO

	122047	Ouvertures per il teatro di Shakespeare, n. 1: La Bisbetica domata
P.R.	648	n. 2: La Dodicesima notte

CATALANI-ZANDONAI

*	124411	In sogno, per piccola orch.

CECE

*	124806	Notturno

CIAIKOVSKI

P.R.	522	Concerto in si bem. min. n. 1 op. 23, per pf. e orch.
P.R.	521	in re op. 35, per v.no e orch.
P.R.	608	Lo Schiaccianoci. Suite op. 71 a
P.R.	653	4ª Sinfonia in fa min., op. 36
P.R.	519	5ª in mi min., op. 64
P.R.	520	6ª in si min., op. 74 (Patetica)

CILÈA

	123989	Piccola suite

CINQUE

B.A.10832		Cipressi. Impressione romantica (in-4º)

CORELLI

*P.R.	674	8º Concerto grosso, dall'op. 6: Per la notte di Natale (Toni)

DE FALLA

Vedi: Falla

DE SABATA

	118672	Juventus. Poema sinfonico

DONATI

P.R.	726	3 Acquarelli paesani

DUBENSKI A.

	122636	Fuga, per 9 leggii di primi vni.
P.R.	649	Suite Anno 1600

FALLA

P.R.	667	Homenajes

FERRARI - TRECATE

P.R.	440	Le Astuzie di Bertoldo. Sinfonia

FRANCK - GUI

*	124969	Preludio, aria e finale

FRAZZI

P.R.	303	Preludio magico

GABRIELI

P.R.	673	Aria della battaglia « per sonar d'instrumenti da fiato a 8 » (Ghedini)

GAVAZZENI

*P.R.	280	1º Concerto di Cinquandò
*P.R.	281	2º Concerto di Cinquandò
*P.R.	411	3º Concerto di Cinquandò

GHEDINI

P.R.	729	Architetture. Concerto per orch.
P.R.	283	Canzoni
P.R.	546	Concerto, per fl., v.no e orch. detto: L'Alderina
*P.R.	232	Concerto, per v.no e archi, detto: Il Belprato
P.R.	665	Concerto, per 2 vci. concertanti e orch. detto: L'Olmeneta
*P.R.	221	Concerto, per pf. e orch.
P.R.	219	Partita
P.R.	220	Pezzo concertante, per 2 v.ni e v.la obbligati e orch.

GIANFERRARI

P.R.	365	Quartetto

GIANNINI

*N.Y.1537		Frescobaldiana (dai 3 Pezzi per organo di Frescobaldi)

archi = cordes, strings, streicher

GNECCHI

P.R.	316	Poema eroico (Notte nel campo di Holopherne)

GUBITOSI

P.R.	663	Notturno

GUERRINI

	122663	3 Pezzi, per orch. d'archi

HAENDEL

Concerti grossi :

P.R.	429	n. 1 in sol
P.R.	464	n. 5 in re
P.R.	430	n. 6 in sol min.
P.R.	465	n. 10 in re min.

HAENDEL - MOLINARI

P.R.	548	Largo

HAYDN

P.R.	423	Quartetto in sol. op. 17 n. 5, per archi
P.R.	424	in la, op. 20 n. 6
P.R.	425	in do, op. 33 n. 3
P.R.	407	in sol, op. 54 n. 1
P.R.	391	in re, op. 64 n. 5
P.R.	408	in sol min., op. 74 n. 3
P.R.	426	in sol, op. 76 n. 1
P.R.	392	in re min., op. 76 n. 2
P.R.	393	in do, op. 76 n. 3
P.R.	409	in si bem., op. 76 n. 4
P.R.	394	in re, op. 76 n. 5
P.R.	427	in sol, op. 77 n. 1
P.R.	495	Sinfonia in do n. 7 : Mezzogiorno
P.R.	498	in fa diesis min. n. 45 : Addio
P.R.	502	in do n. 82 : L'Orso
P.R.	503	in si bem. n. 85 : La Regina
P.R.	329	in sol n. 92 : Oxford
P.R.	481	in sol n. 94 : Sorpresa
P.R.	336	in mi n. 99
P.R.	330	in sol n. 100 : Militare
P.R.	504	in re n. 101 : L'Orologio
P.R.	480	in mi bem. n. 103 : Rullo di timpani
P.R.	331	in re n. 104 : Londra

LEO

*P.R.	317	Concerto a 4 v.ni obbligati con orch. d'archi e cemb. (Polo-Abbado)

LONGO ACH.

P.R.	547	Serenata in do

MALIPIERO

P.R.	300	L'Arca di Noè. 6° Quartetto
P.R.	528	Concerti
P.R.	428	3° Concerto, per pf. e orch.
P.R.	540	4° Concerto, per pf. e orch.
P.R.	664	Elegia-Capriccio
P.R.	543	5 Favole, per 1 voce e piccola orch.
P.R.	390	Mondi celesti, per 1 voce e 10 strumenti (dai Mondi celesti e infernali)

MALIPIERO (segue)

P.R.	655	Passacaglie
P.R.	541	7° Quartetto
P.R.	274	1ª Sinfonia (in 4 tempi, come le 4 Stagioni)
P.R.	529	2ª Sinfonia : Elegiaca
P.R.	286	4ª Sinfonia : In memoriam
P.R.	282	5ª Sinfonia : Concertante in eco
P.R.	299	6ª Sinfonia : Degli archi
P.R.	318	7ª Sinfonia : Delle canzoni
P.R.	639	Sinfonia dello Zodiaco. 4 Partite dalla primavera all'inverno
P.R.	542	Sinfonia in un tempo
P.R.	288	Sonata a cinque, per fl., v.no. viola, vc. ed arpa (op. : 2 v.ni, viola, vc. e pf.)
P.R.	287	Stornelli e ballate
P.R.	337	Stradivario. Fantasia di strumenti che ballano, per orch.
P.R.	666	Vivaldiana

MARINUZZI

*P.R.	212	Valzer campestre (dalla Suite siciliana)

MARTUCCI

*P.R.	225	Gavotta, op. 55 n. 2
*P.R.	210	Giga, op. 61 n. 3
*P.R.	204	Notturno, op. 70 n. 1
*P.R.	205	Novelletta, op. 82
*P.R.	208	Tarantella. op. 44 n. 6

MENDELSSOHN

P.R.	508	Concerto in mi min., op. 64 per v.no e orch.
P.R.	507	La Grotta di Fingal. Ouverture. op. 26
P.R.	505	Sinfonia n. 3 in la min., op. 56 : Scozzese
P.R.	506	n. 4 in la, op. 90 : Italiana

MENOTTI

P.R.	242	Sebastian. Balletto. Suite

MONTANI

	124003	Concertino in mi, per pf. e orch. d'archi

MOZART

P.R.	511	Concerto in la, per pf. e orch. (K. 488)
P.R.	512	in do min. (K. 491)
P.R.	513	in re (K. 537)
P.R.	514	Concerto in sol, per v.no (K. 216)
P.R.	515	in re (K. 218)
P.R.	516	in la (K. 219)
P.R.	631	in la per cl. e orch. (K. 622)
P.R.	632	in re per flauto e orch. (K. 314)
P.R.	620	Divertimento in re n. 7 (K. 205)
P.R.	621	in re n. 11 (K. 251)
P.R.	622	in si bem. n. 14 (K. 270)
P.R.	509	Don Giovanni : Ouverture (K. 527)
P.R.	510	Il Flauto magico : Ouverture (K. 620)

archi = cordes, strings, streicher

MOZART (segue)

P.K.	228	Le Nozze di Figaro : Ouverture (K. 492)
P.R.	605	Il Ratto dal serraglio : Ouverture (K. 384)
		Quartetti per archi :
P.R.	412	in sol (K. 387)
P.R.	395	in re min. (K. 421)
P.R.	415	in mi bem. (K. 428)
P.R.	413	in si bem. (Jagd) (K. 458)
P.R.	396	in la (K. 464)
P.R.	420	in do (K. 465)
P.R.	399	in re (K. 499)
P.R.	397	in re (K. 575)
P.R.	398	in si bem. (K. 589)
P.R.	414	in fa (K. 590)
P.R.	470	in fa, per oboe e archi (K. 370)
P.R.	469	Quintetto in sol min., per archi (K. 516)
P.R.	471	in la, per cl. e archi (K. 581)
P.R.	245	Serenata (Eine kleine Nachtmusik) (K. 525)
P.R.	633	Sinfonia concertante in mi bem., per v.no, v.la e orch. (K. 364)
P.R.	624	Sinfonia in mi bem. (K. 16)
P.R.	625	in mi bem. (K. 18)
P.R.	626	in si bem. (K. 22)
P.R.	640	in la (K. 134)
P.R.	641	in re (K. 181)
P.R.	642	in do (K. 200)
P.R.	643	in la (K. 201)
P.R.	644	in re (K. 297)
P.R.	645	in do (K. 338)
P.R.	379	in re (K. 385) : Haffner
P.R.	334	in do (K. 425) : Linz
P.R.	378	in re (K. 504) : Praga
P.R.	363	in mi bem. (K. 543)
P.R.	332	in sol min. (K. 550)
P.R.	333	in do (K. 551) : Jupiter

PAGANINI - MOLINARI

P.R.	549	Moto perpetuo

PARIBENI

*	124341	L'Usignuolo del Sassolungo. Leggenda, per v.no e orch.

PERSICO

*	124023	Notturno (da La Bisbetica domata)

PETRASSI

P.R.	613	Concerto
P.R.	652	Introduzione e allegro, per v.no concertante e 11 strumenti
P.R.	364	Partita

PICK-MANGIAGALLI

*	125598	Burlesca
*	117740	Il Carillon magico. Commedia mimo-sinfonica
*	124951	Intermezzo delle rose
	119073	Notturno e rondò fantastico, op. 28
	120474	Piccola suite: 1. I piccoli soldati ; 2. Berceuse ; 3. Danza d'Olaf

PIZZETTI

	122812	Canti della stagione alta. Concerto per pf. e orch.
P.R.	669	3 Canzoni, per canto e quartetto d'archi : 1. Donna lombarda ; 2. La Prigioniera ; 3. La Pesca dell'anello
P.R.	251	Concerto dell'estate
P.R.	250	3 Preludi sinfonici per l'Edipo Re di Sofocle
	123151	Quartetto in re, per archi
P.R.	479	Rondò veneziano
*	125331	Sinfonia in la (rilegata in tela e oro)

PORRINO

	123087	Sardegna. Poema sinfonico

RESPIGHI

P.R.	536	Antiche danze ed arie per liuto. Trascrizione per orch. 1ª Suite (sec. XVI)
P.R.	544	2ª Suite (secoli XVI e XVII)
P.R.	476	3ª Suite (secoli XVI e XVII), per orchestra d'archi
P.R.	647	Belkis, Regina di Saba. 1ª Suite
P.R.	473	Feste romane. Poema sinfonico
P.R.	438	Fontane di Roma. Poema sinfonico
P.R.	478	Impressioni brasiliane
P.R.	439	Pini di Roma. Poema sinfonico
P.R.	530	Trittico botticelliano, per piccola orch.
P.R.	321	Gli Uccelli. Suite per piccola orch.

ROCCA

P.R.	661	Il Dibuk. Danze
P.R.	550	id. Finale dell'opera
P.R.	662	Interludio epico (Percussus elevor)
P.R.	441	In terra di leggenda. 2 frammenti sinfonici
P.R.	668	Momento sinfonico (dal Monte Ivnor)

ROSSELLINI

P.R.	732	Canzone del ritorno, per orch.
P.R.	601	Racconto d'inverno. Suite dal balletto
P.R.	656	Stampe della vecchia Roma
*P.R.	222	Stornelli della Roma bassa. Rapsodia

ROSSINI

P.R.	734	La Cenerentola : Ouverture
P.R.	735	La Gazza ladra : Ouverture
P.R.	256	Guglielmo Tell : Ouverture
P.R.	257	Semiramide : Ouverture
P.R.	736	La Scala di seta : Ouverture

SAMMARTINI-MARTUCCI

*P.R.	224	Pastorale, per piccola orch.

archi = cordes, strings, streicher

SAUNDERS

L.D. 380 Interludium, per orch. d'archi

SCHUBERT

P.R. 472 Ottetto, op. 166
P.R. 421 Quartetto in la min., op. 29, per archi
P.R. 432 in sol, op. 161
P.R. 466 in re min. (op. postuma)
P.R. 484 in do min. (op. postuma)
P.R. 477 Quintetto in do, op. 163, per archi
P.R. 475 Quintetto in la, op. 114, per pf. e archi : La Trota
P.R. 236 Sinfonia n. 8 in si min. : Incompiuta
P.R. 474 Trio in si bem., op. 99, per pf. e archi

SCHUBERT - ZANDONAI

124392 Momento musicale, op. 94 n. 3, per orch. d'archi

SCHUMANN

Quartetti per archi :
P.R. 534 in la min., op. 41 n. 1
P.R. 535 in fa, op. 41 n. 2
P.R. 422 in la, op. 41 n. 3
P.R. 463 Quintetto in mi bem. op. 44, per pf. e archi
P.R. 517 Sinfonia n. 4 in re min., opera 120

SCHUMANN - ZANDONAI

124393 Rêverie, op. 15 n. 7, per arpa e orch. d'archi

SMETANA

P.R. 518 Moldava
P.R. 433 Quartetto in mi min., per archi : Dalla mia vita

SORESINA

127617 Ciaccona a variazione, per archi (in 4º)

TOSATTI

P.R. 730 Due frammenti dal dramma musicale « Diòniso » : n. 1 Preludio a Diòniso - n. 2 Le Nozze d'Arianna

TURCHI

P.R. 654 Piccolo concerto notturno

VERDI

P.R. 258 La Forza del destino : Ouverture
P.R. 737 Luisa Miller : Ouverture
P.R. 738 Nabucco : Ouverture
P.R. 538 Quartetto in mi min., per archi
P.R. 259 I Vespri siciliani : Ouverture

VERETTI

* 124485 Divertimento per clavicembalo (o pf.) e 6 strumenti
P.R. 254 Sinfonia italiana : Il Popolo e il Profeta
P.R. 255 Suite in do

VERNON DUKE

N.Y. 1692 Ode alla Via Lattea (Ode to the Milky Way)

VILLA-LOBOS

*P.R. 214 Bachianas Brasileiras n. 2. Suite in 4 tempi
N.Y. 1544 id. n. 3
N.Y. 1555 id. n. 4
*P.R. 216 Caixinha de bôas festas (Vitrine encantada). Poema sinfonico
P.R. 218 8º Quartetto

VIVALDI

121583 Concerto in la min. (Molinari)

VOGEL

P.R. 533 Thyl Claes. Oratorio. 6 Frammenti (dalla I parte), (in-4º)

WAGNER

P.R. 523 La Cavalcata delle Walkirie
P.R. 335 Idillio di Sigfrido
P.R. 602 Lohengrin : Preludi : Atto 1º e 3º
P.R. 209 I Maestri cantori : Ouverture
P.R. 603 Parsifal : Preludio
P.R. 213 Tannahäuser : Ouverture
P.R. 223 Tristano e Isotta : Preludio e morte di Isotta

WEBER

P.R. 612 Euriante : Ouverture
P.R. 525 Il Franco cacciatore : Ouverture
P.R. 524 Invito alla danza op. 65 (Berlioz)
P.R. 604 Oberon : Ouverture

WOLF-FERRARI

*P.R. 227 Il Campiello. 2 Pezzi : 1 Intermezzo (atto II) - 2. Ritornello (atto III)
122546 Idillio-concertino in la op. 15, per oboe solista, orch. d'archi e 2 corni
122565 Suite-concertino in fa op. 16, per fagotto solista, orch. d'archi e 2 corni

ZAFRED

P.R. 539 4ª Sinfonia : In onore della Resistenza

ZANDONAI

123731 Colombina : Ouverture
120794 Danza del torchio e cavalcata (da Giulietta e Romeo)

archi = cordes, strings, streicher

MOZART

SYMPHONY No. 26

SINFONIA IN MI BEM.

K. 184

Es   Dur
E b.   Major
Mi b. Majeur
Mi b. Mayor

RICORDI

Orchestra

2 Flauti (Fl.)
2 Oboi (Ob.)
2 Fagotti (Fg.)

2 Corni in *Mi* ♮ (Cor.)
2 Trombe in *Mi* ♭ (Trb.)

Violini I ⎫
Violini II ⎬ (Vni)
Viole (Vle)
Violoncelli (Vc.)
Contrabbassi (Cb.)

P. R. 794

SINFONIA

K.184
(1773) | Mib maggiore   Es dur   Eb major   Mib majeur   Mib mayor

W. A. MOZART
(1756-1791)

G. RICORDI & C. Editori, MILANO.
Tutti i diritti riservati.- Tous droits réservés.- All rights reserved.
PRINTED IN ITALY   P.R.794

ANNO MCMLV
IMPRIMÉ EN ITALIE

h

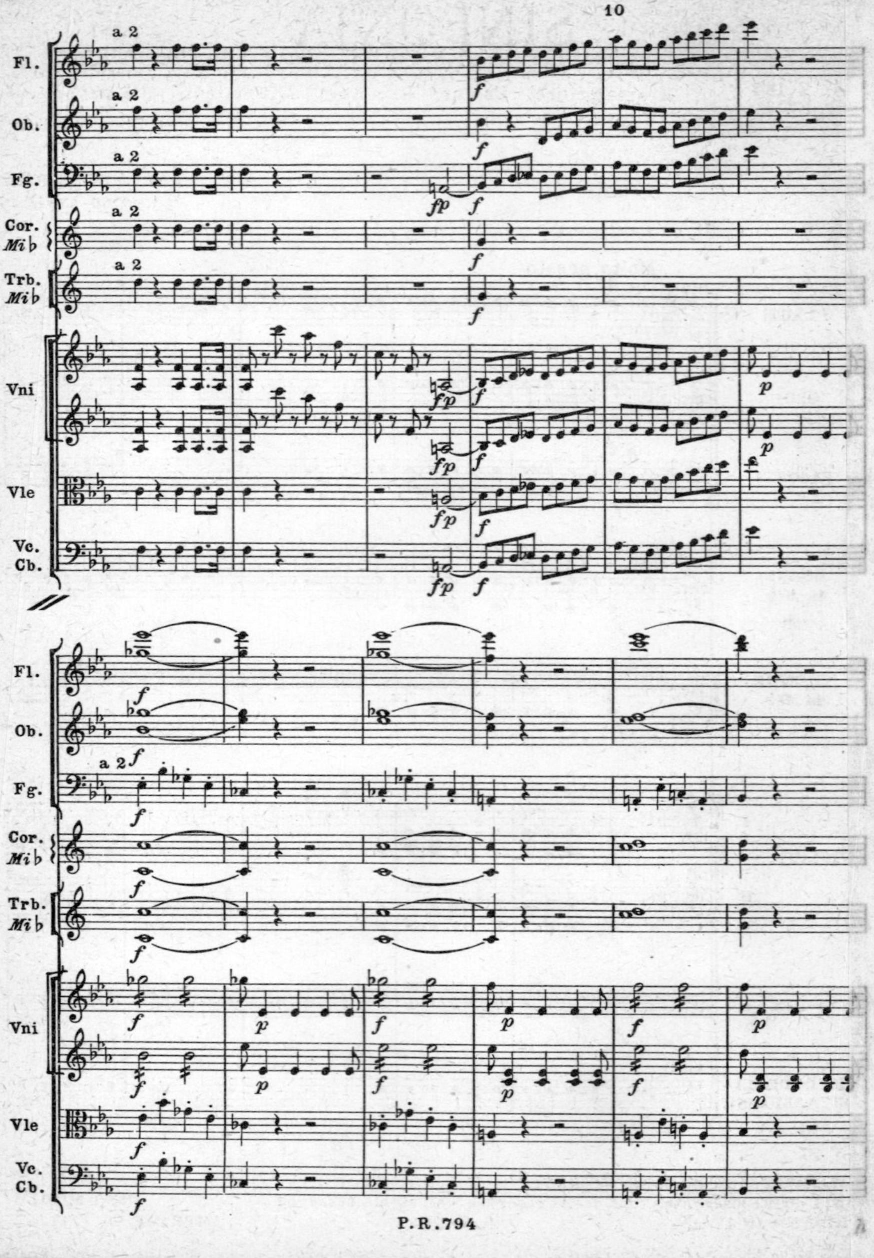
10
a 2
Fl.
Ob.
Fg.
Cor. Mi♭
Trb. Mi♭
Vni
Vle
Vc. Cb.
f
fp
p

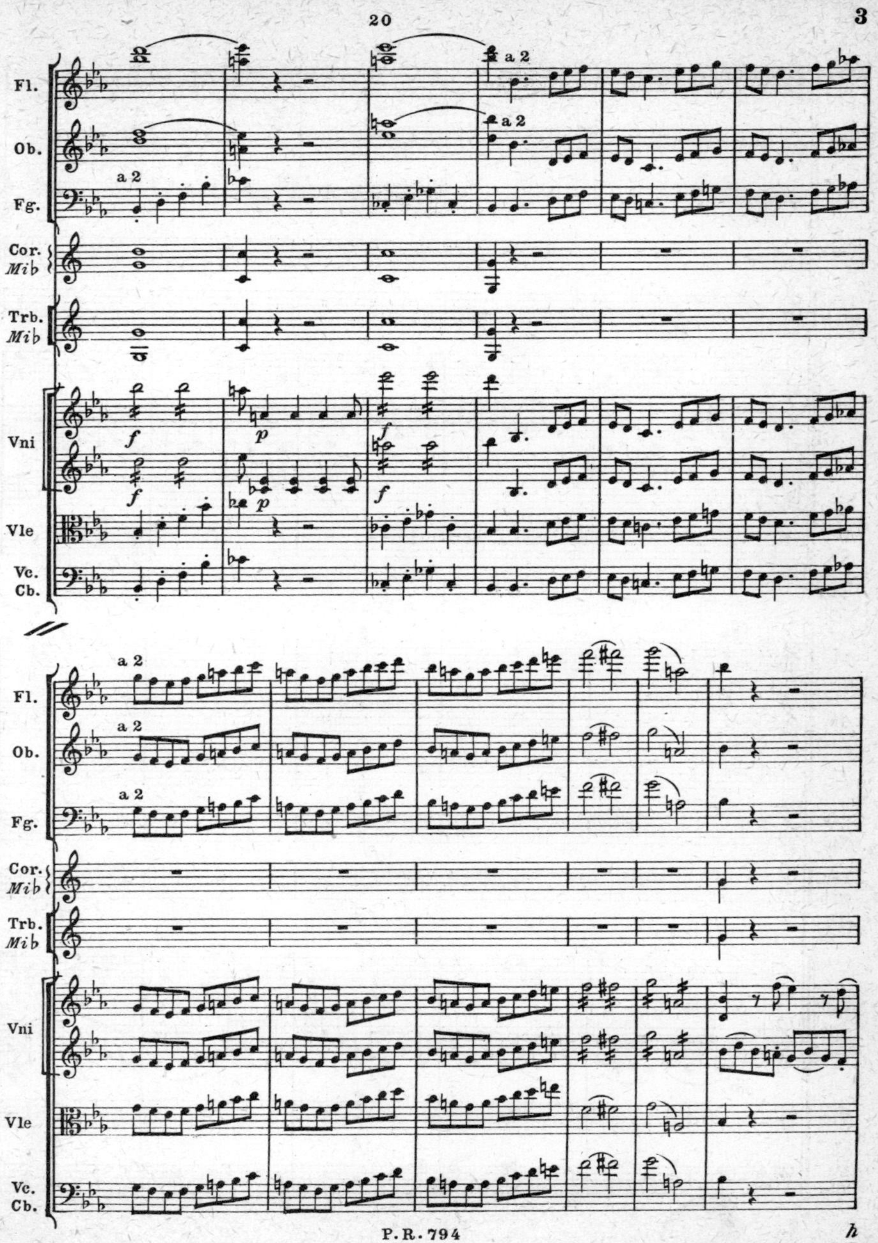
20
a 2
Fl.
Ob.
Fg.
Cor. Mib
Trb. Mib
Vni
Vle
Vc. Cb.
f
p

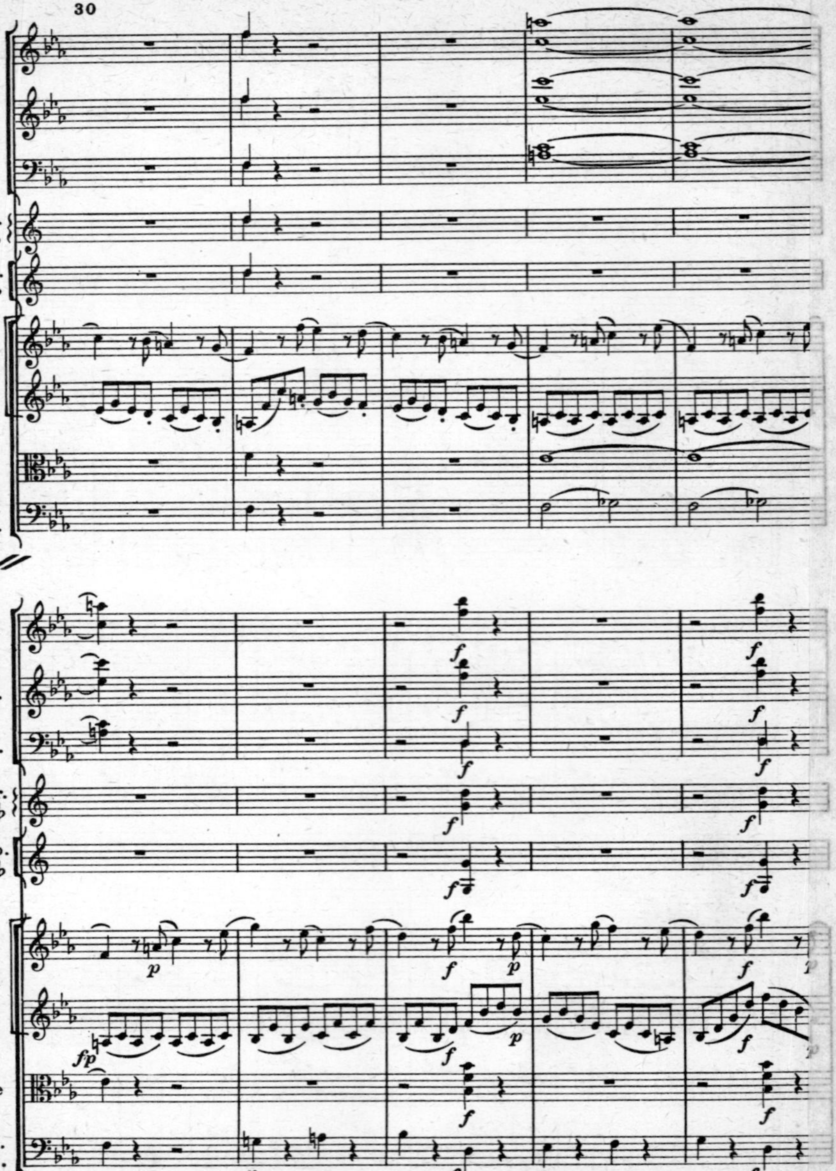
30
Fl.
Ob.
Fg.
Cor. Mi♭
Trb. Mi♭
Vni
Vle
Vc. Cb.
f
p
fp

P. R. 794

h

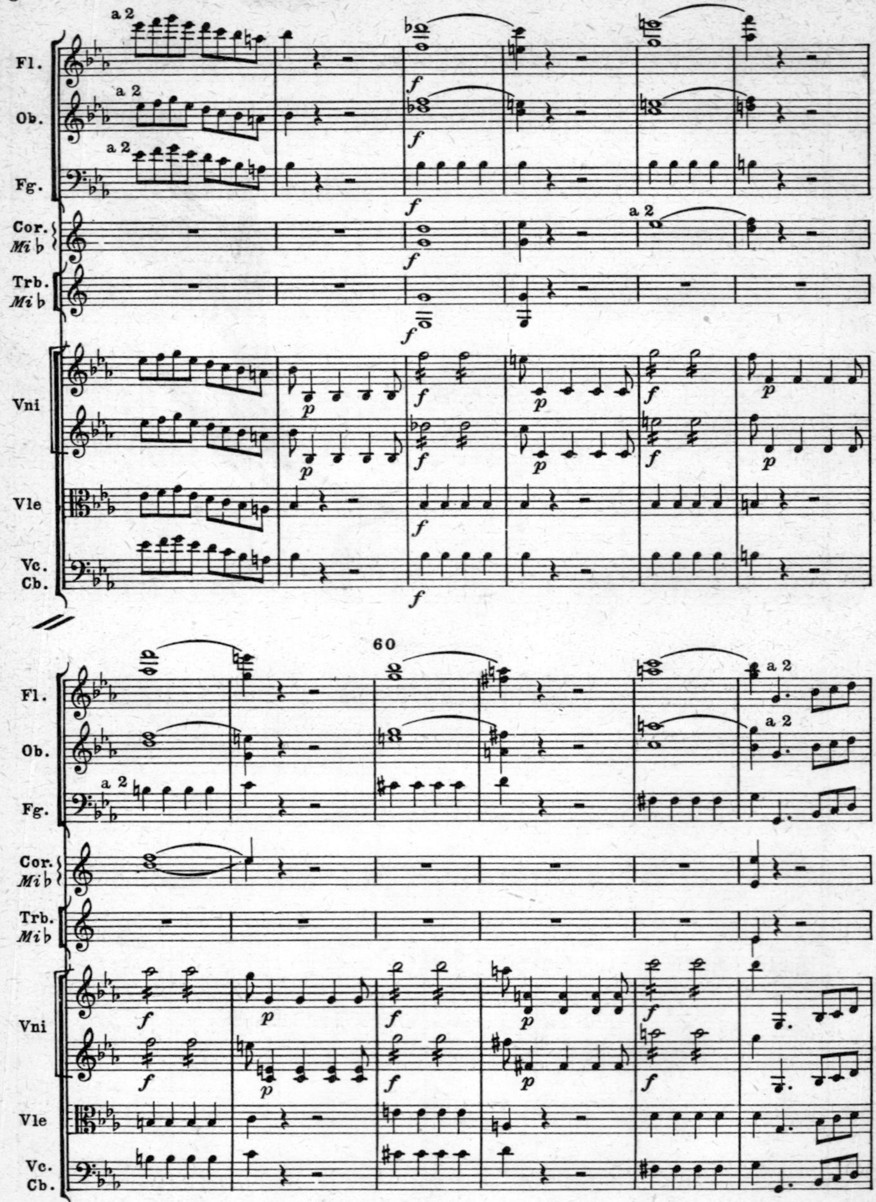

h

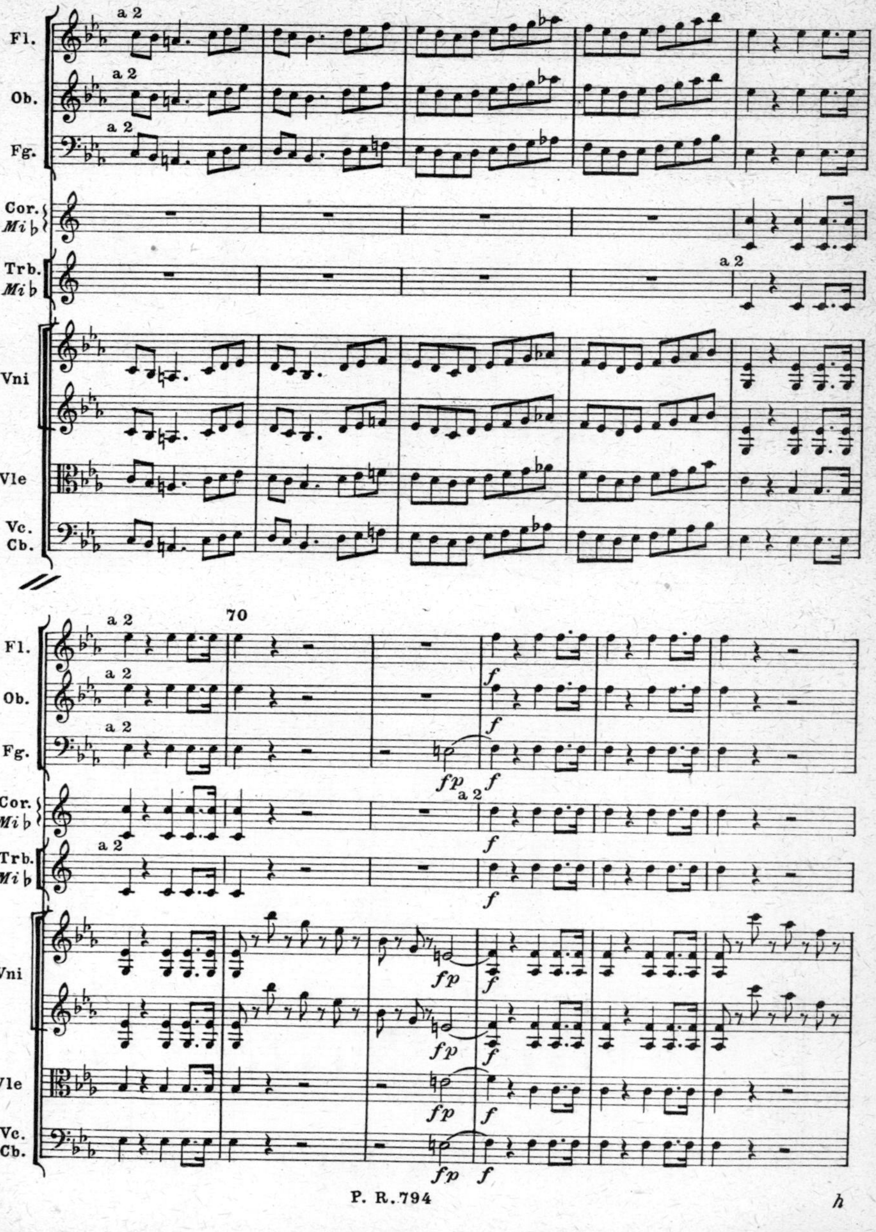

h

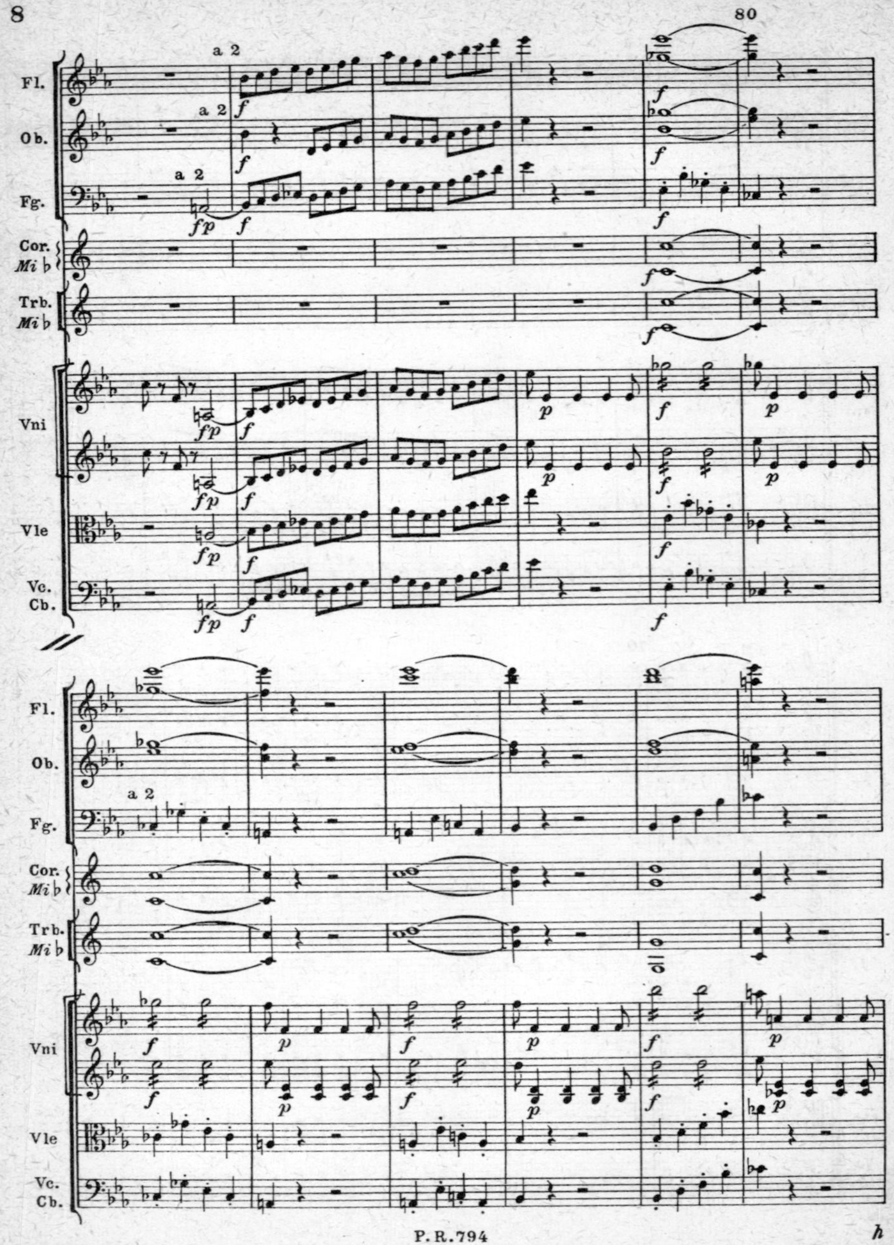
80
a 2
Fl.
a 2
Ob.
a 2
Fg.
Cor.
Mi♭
Trb.
Mi♭
Vni
Vle
Vc.
Cb.
f
fp
p

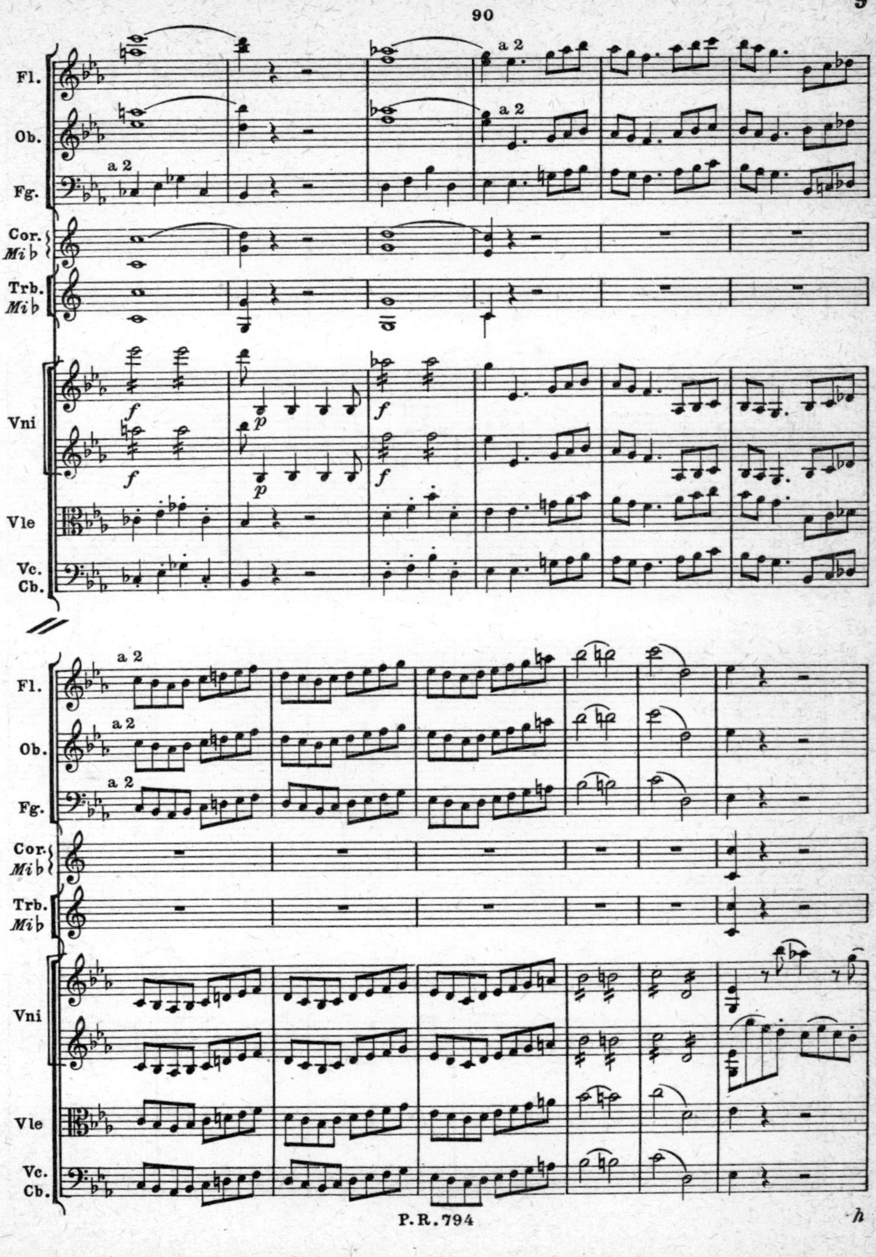
90
a 2
Fl.
Ob.
Fg.
Cor. Mi♭
Trb. Mi♭
f
p
Vni
Vle
Vc. Cb.

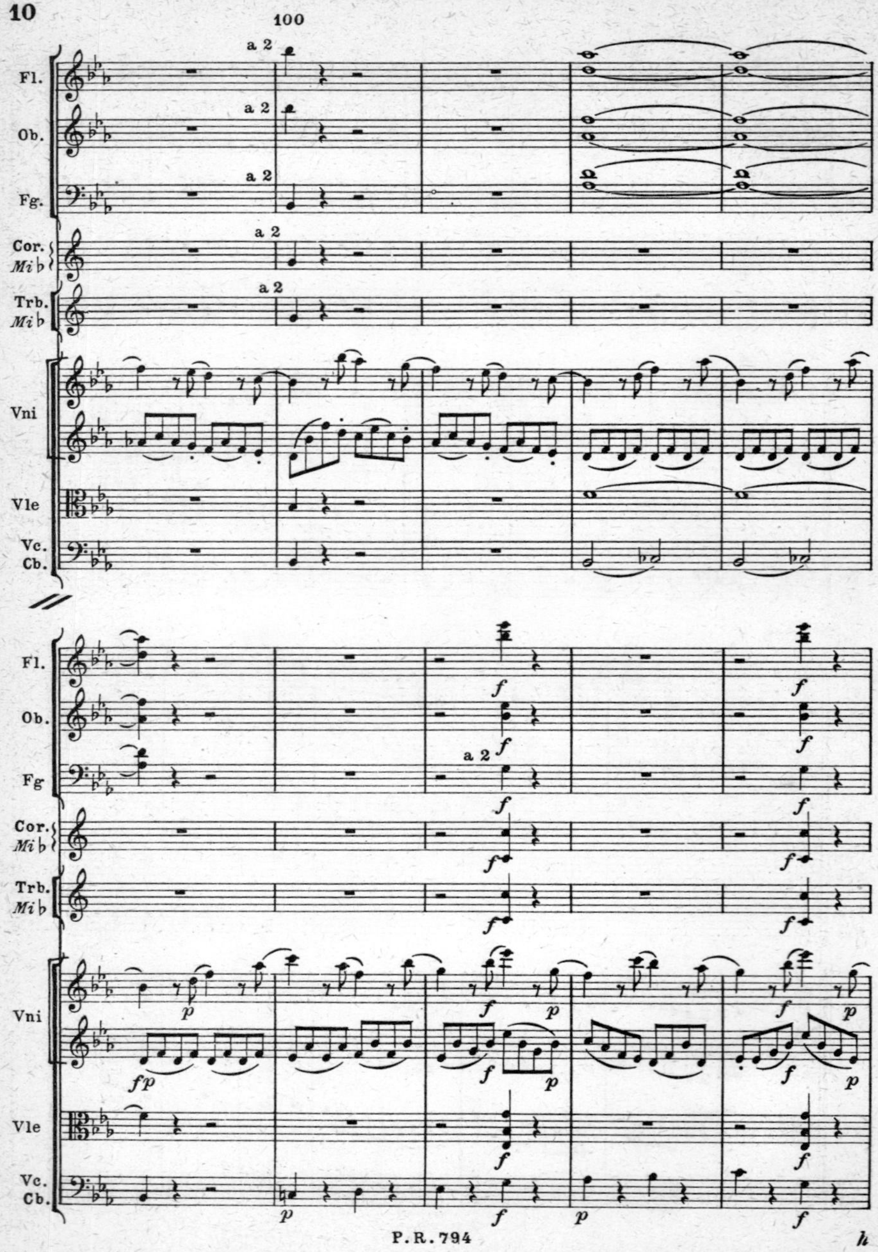
100
a 2
Fl.
Ob.
Fg.
Cor.
Mi ♭
Trb.
Mi ♭
Vni
Vle
Vc.
Cb.
f
p
fp

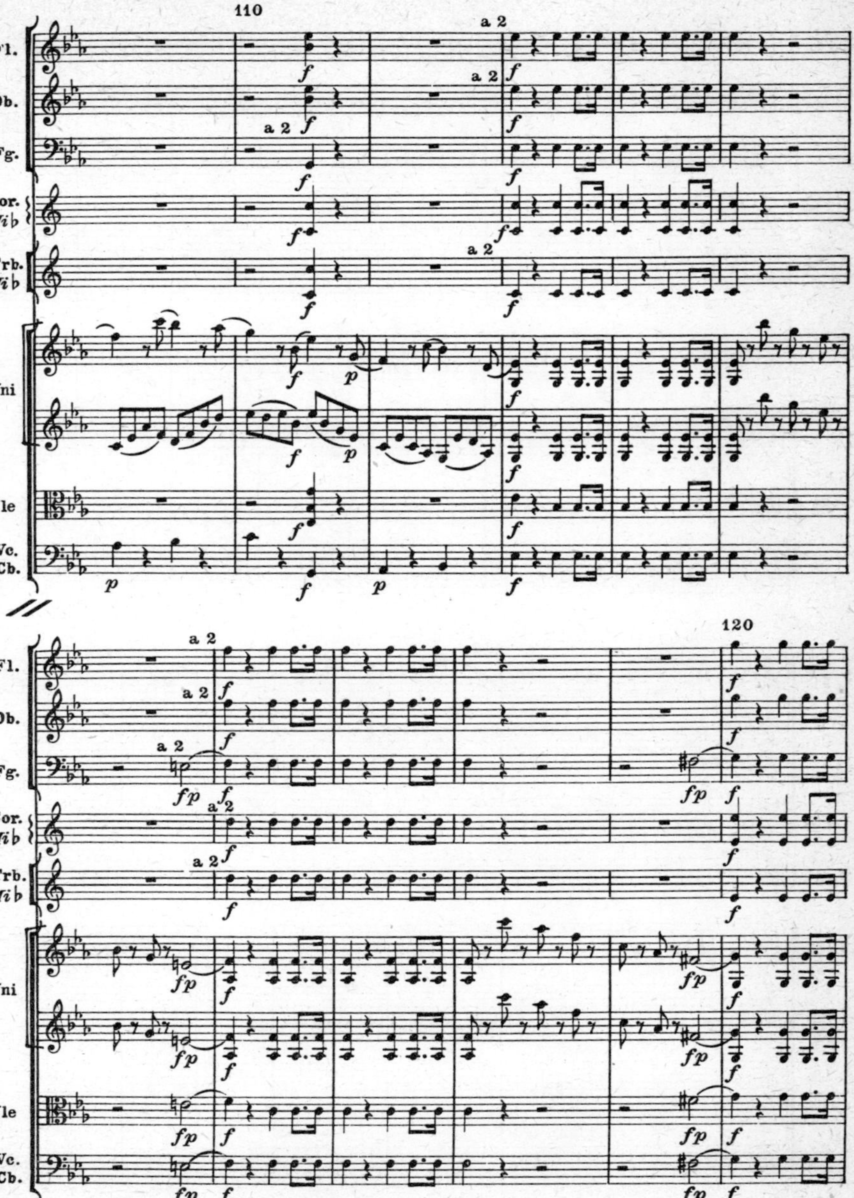
110
a 2
Fl.
Ob.
Fg.
Cor. Mi♭
Trb. Mi♭
Vni
Vle
Vc. Cb.
120
f
p
fp

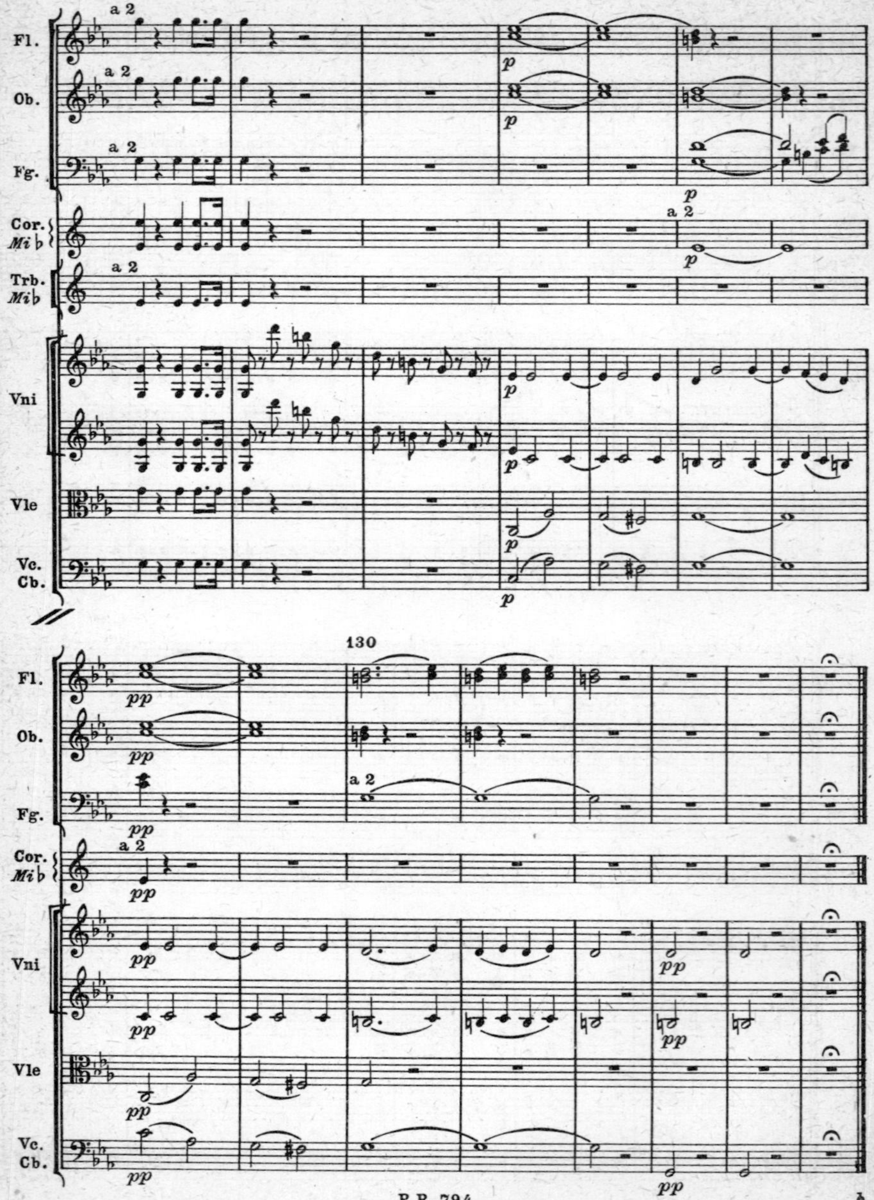

h

Andante
FLAUTI
FAGOTTI
VIOLINI
I.
II.
VIOLE
uniti
VIOLONCELLI
CONTRABBASSI
p
(sim.)
Fl.
Fg.
10
Vni
Vle
Vc.
Cb.

h

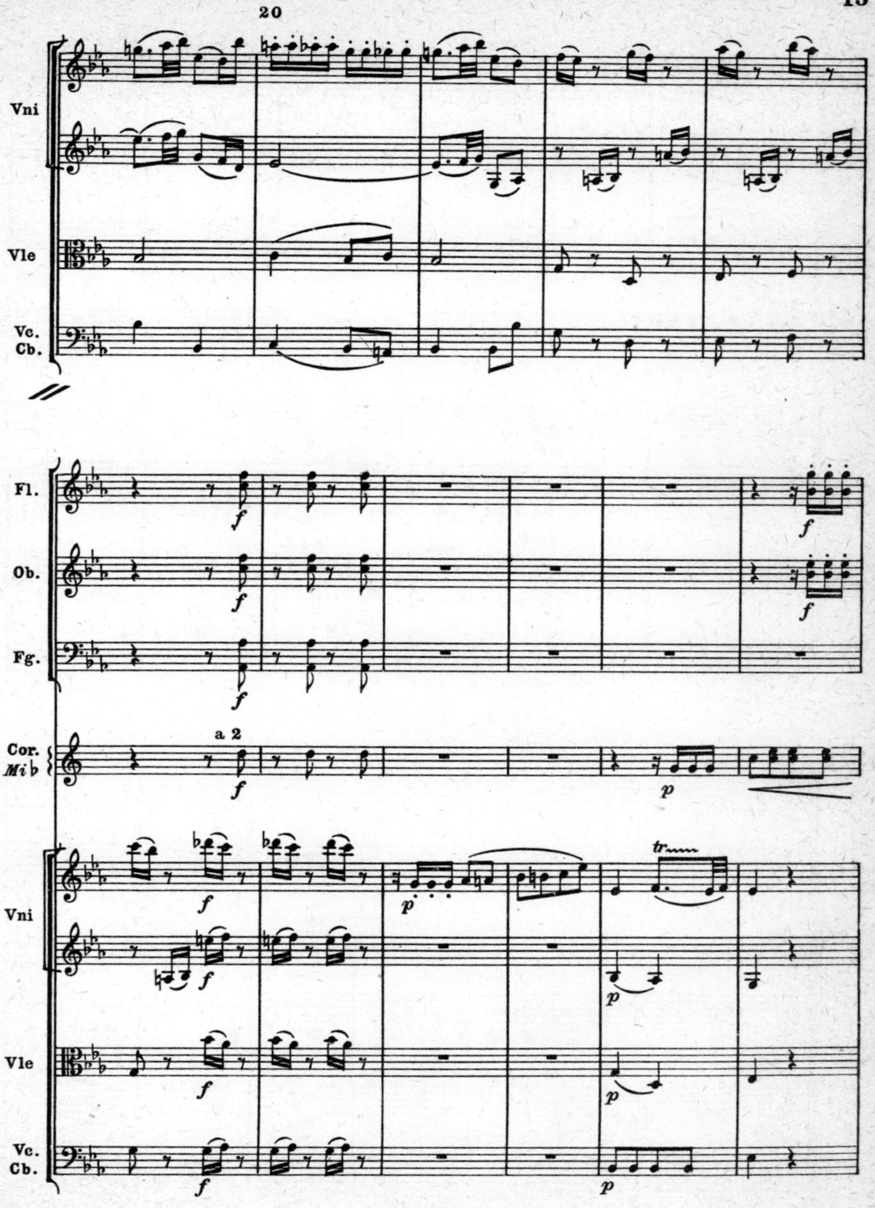
20
Vni
Vle
Vc.
Cb.
Fl.
Ob.
Fg.
Cor.
Mi♭
a 2
f
p
tr
Vni
Vle
Vc.
Cb.

h

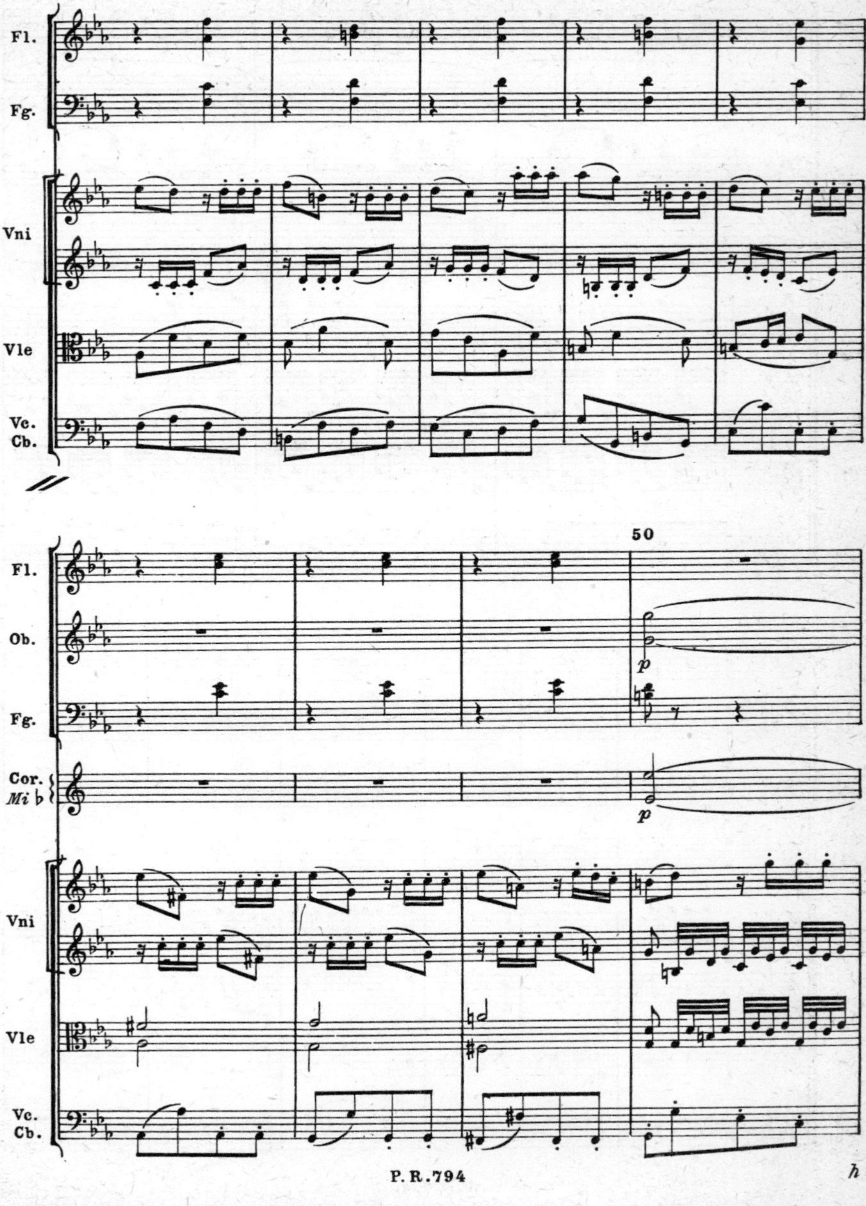
Fl.
Fg.
Vni
Vle
Vc.
Cb.
50
Fl.
Ob.
p
Fg.
Cor.
Mi ♭
p
Vni
Vle
Vc.
Cb.

h

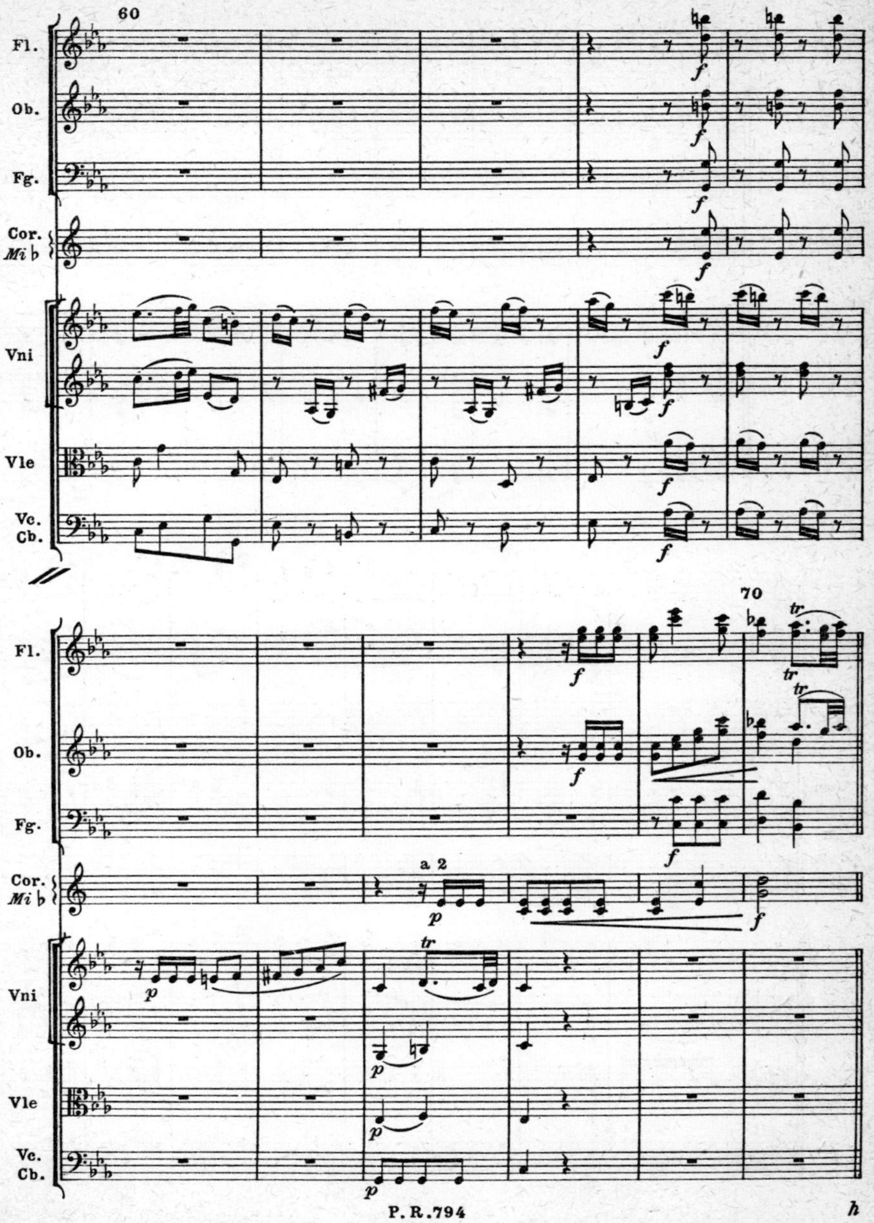
60
Fl.
Ob.
Fg.
Cor.
Mi ♭
Vni
Vle
Vc.
Cb.
70
a 2
tr

Allegro
FLAUTI
OBOI
FAGOTTI
CORNI in Mi ♭
I.
VIOLINI
II.
VIOLE
p
a 2
10
Fl.
Ob.
Fg.
Cor. Mi ♭
Trb. Mi ♭
Vni
Vle
uniti
Vc. Cb.
f
(div.)

20
Fl.
Ob.
Fg.
Cor.
Mi♭
Trb.
Mi♭
Vni
Vle
Vc.
Cb.
Fl.
Ob.
Fg.
Cor.
Mi♭
Trb.
Mi♭
Vni
Vle
Vc.
Cb.

30
I.
Fl.
Vni
Vle
Vc.
Cb.
p
I.
40
Fl.
Cor.
Mi♭
Vni
Vle
Vc.
Cb.
50
Ob.
Cor.
Mi♭
a 2
Vni
Vc.
Cb.

Fl.
p
Ob.
Fg.
p
Cor.
Mi ♭
Vni
Vle
Vc.
Cb.

60
Fl.
Ob.
p
Fg.
Cor.
Mi ♭
tr
Vni
tr
Vle
Vc.
Cb.

h

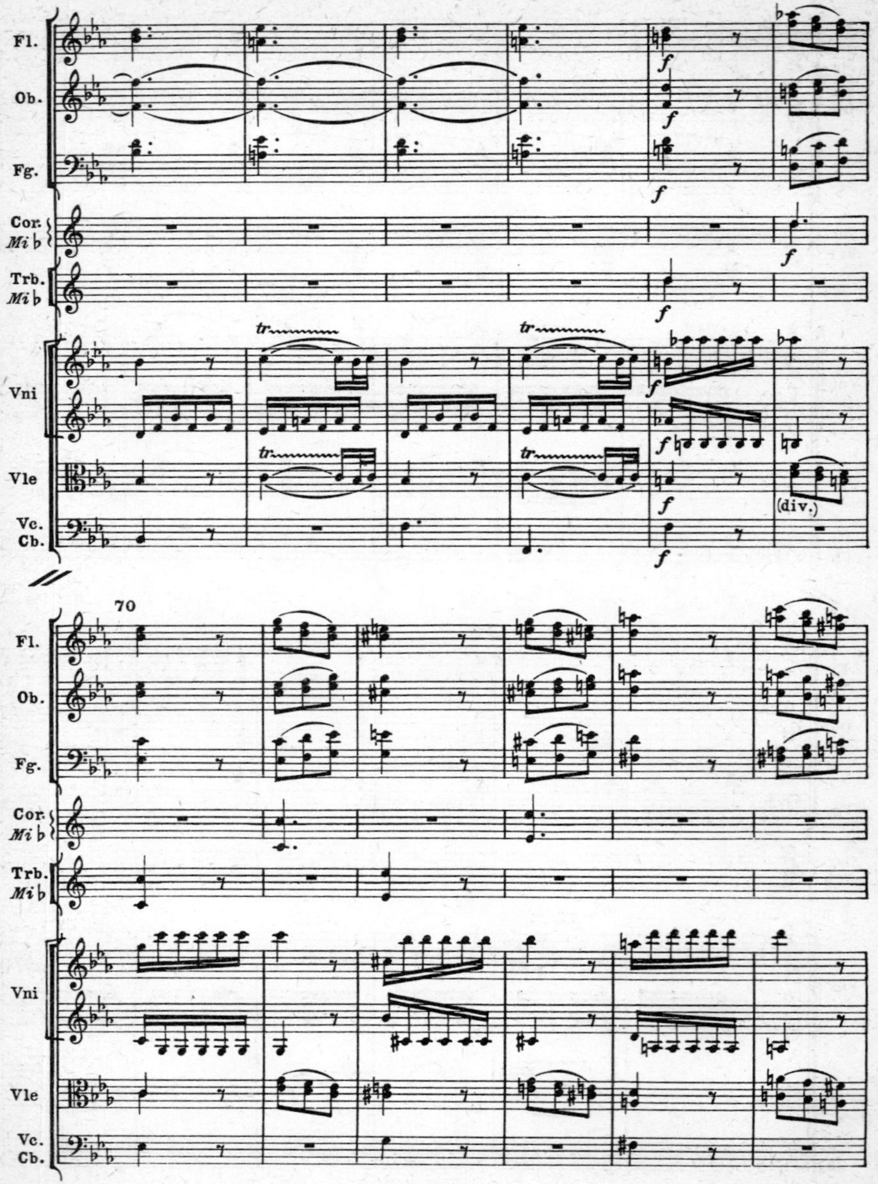
Fl.
Ob.
Fg.
Cor. Mi ♭
Trb. Mi ♭
Vni
Vle
Vc. Cb.
tr
f
(div.)
70
p

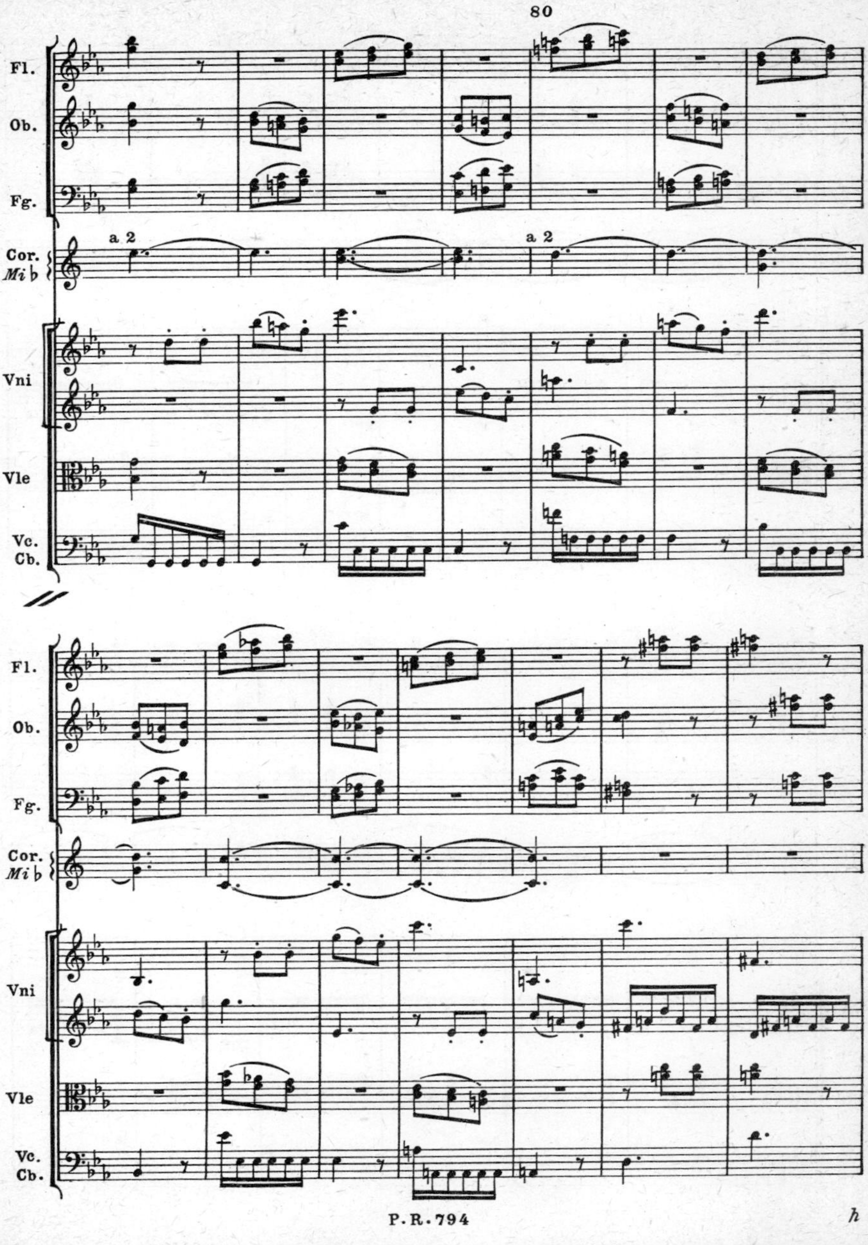
80
Fl.
Ob.
Fg.
a 2
Cor.
Mi ♭
Vni
Vle
Vc.
Cb.

h

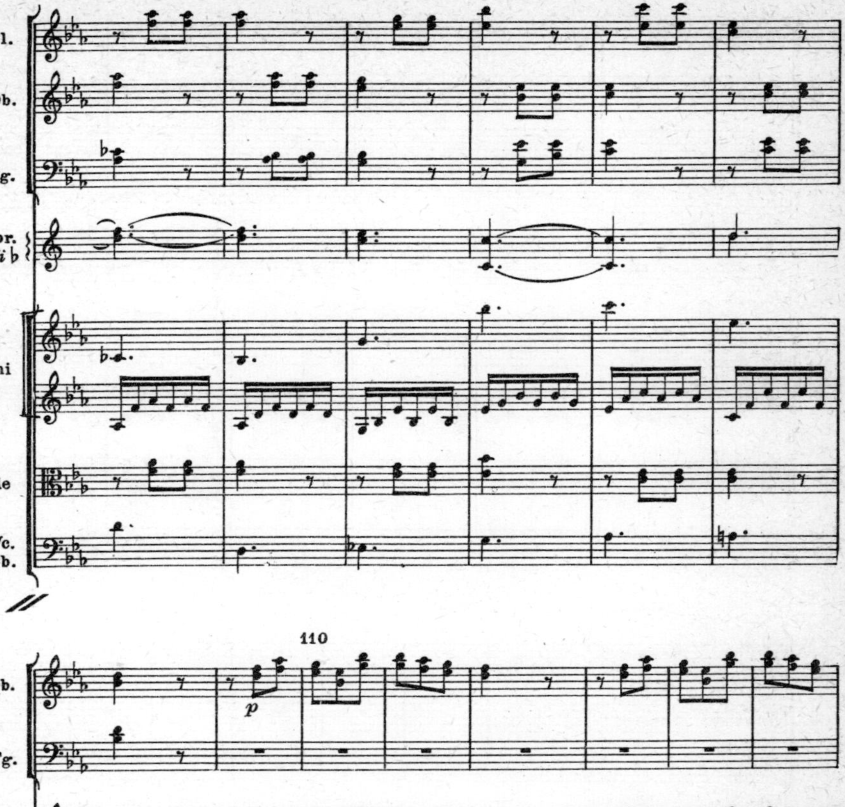
Fl.
Ob.
Fg.
Cor. Mi ♭
Vni
Vle
Vc. Cb.
110
Ob.
Fg.
Cor. Mi ♭
Vni
Vle
Vc. Cb.
p

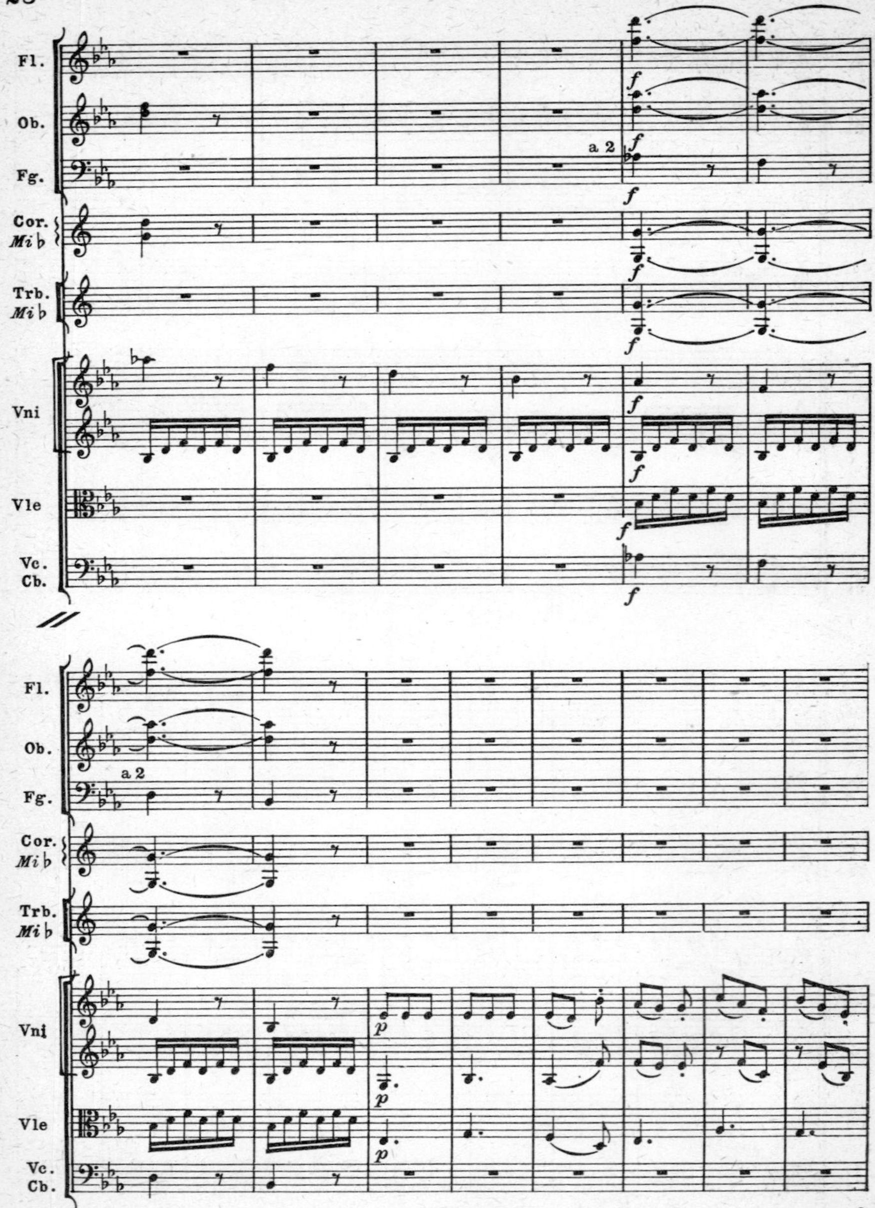
120
Fl.
Ob.
Fg.
Cor. Mi♭
Trb. Mi♭
Vni
Vle
Vc. Cb.
a 2
f
p

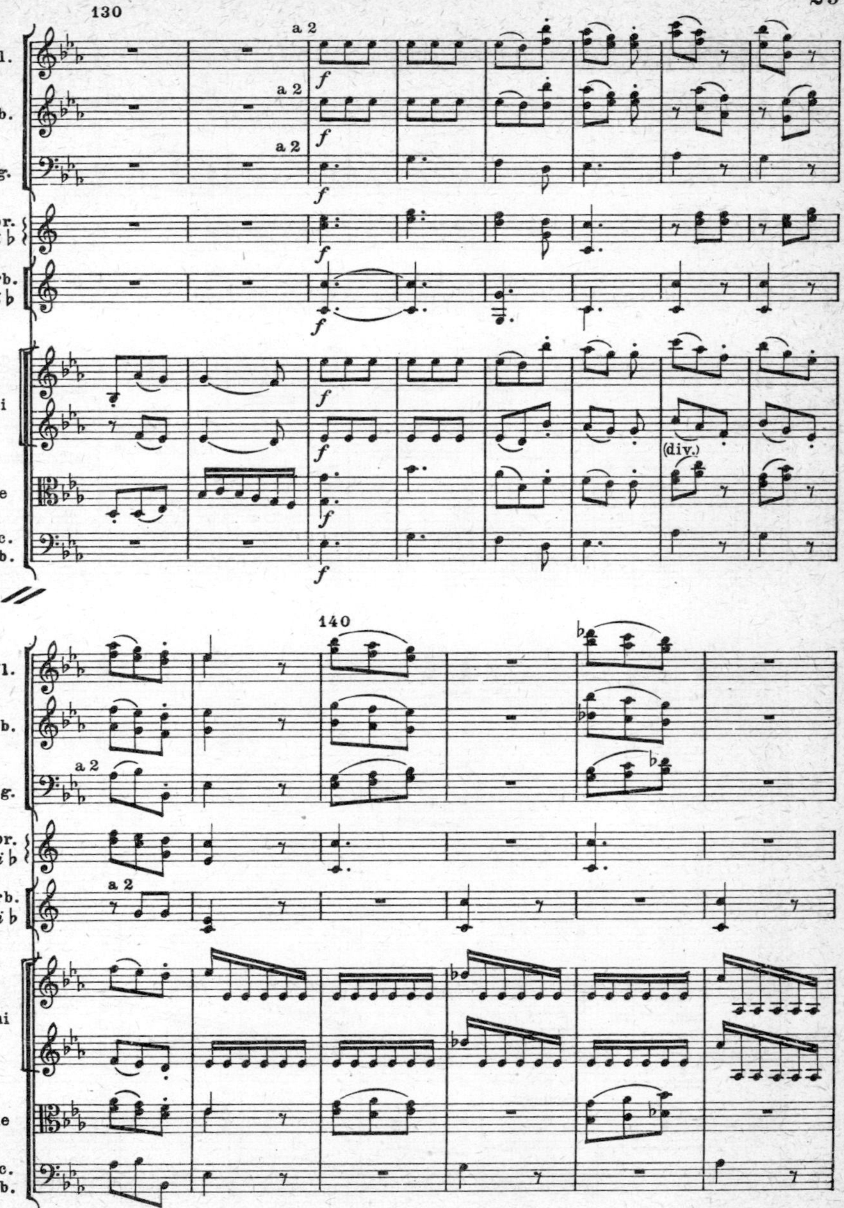

h

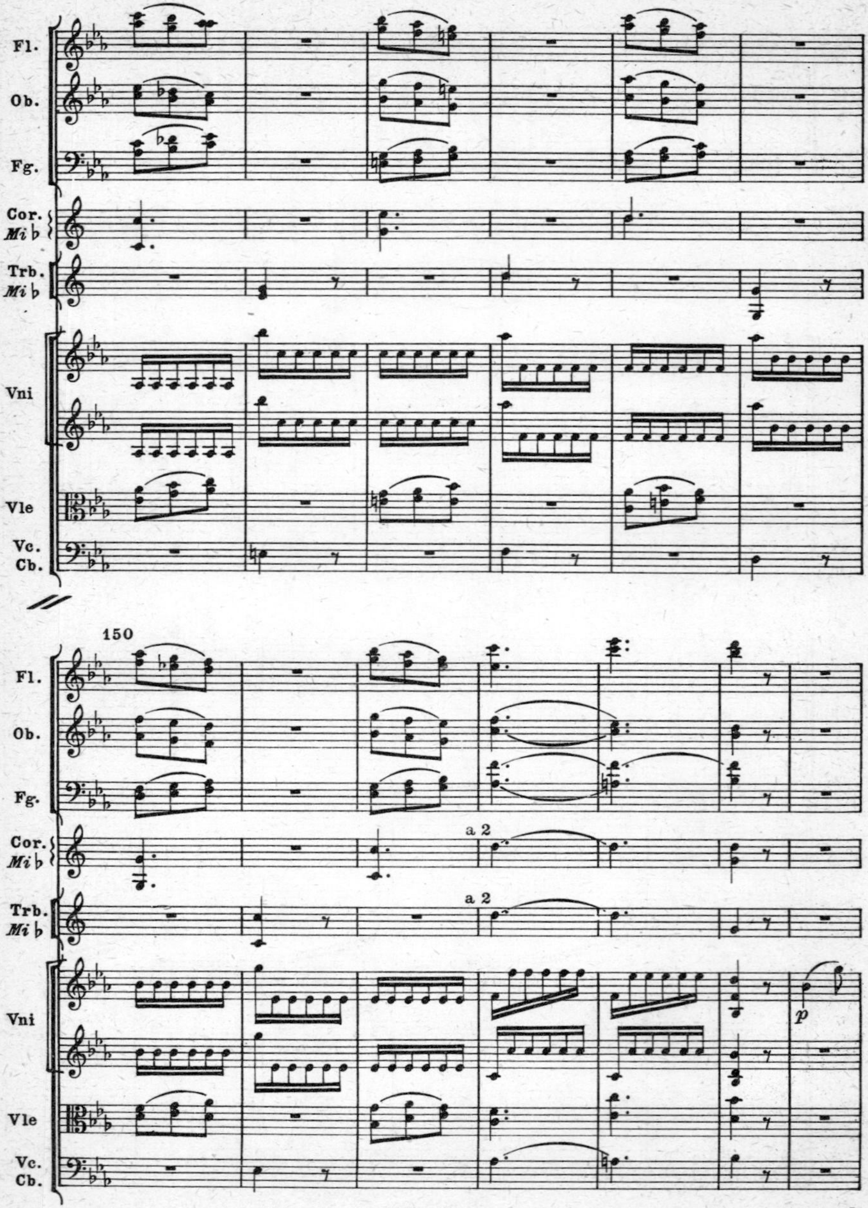
Fl.
Ob.
Fg.
Cor. Mi♭
Trb. Mi♭
Vni
Vle
Vc. Cb.
150
a 2
a 2
p

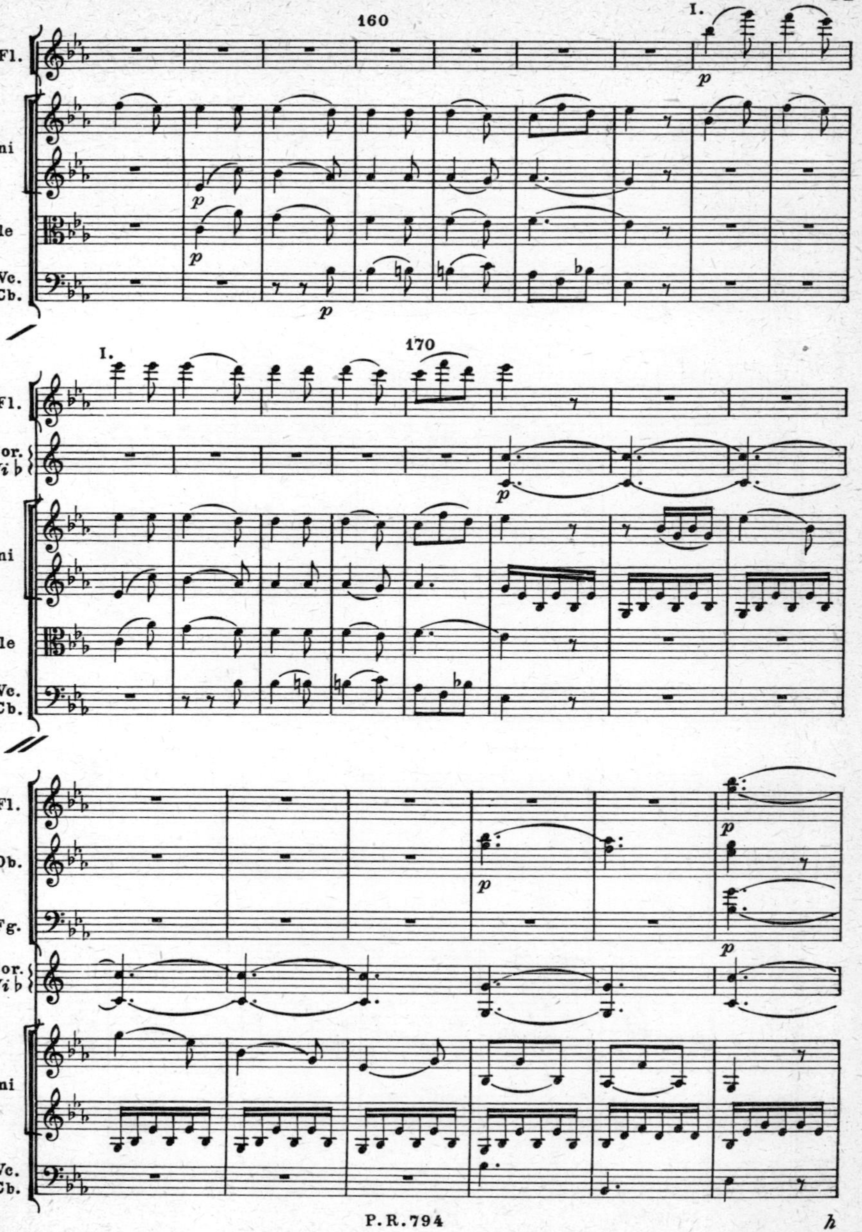
160
I.
Fl.
Vni
Vle
Vc.
Cb.
p
I.
170
Cor.
Mi ♭
Ob.
Fg.

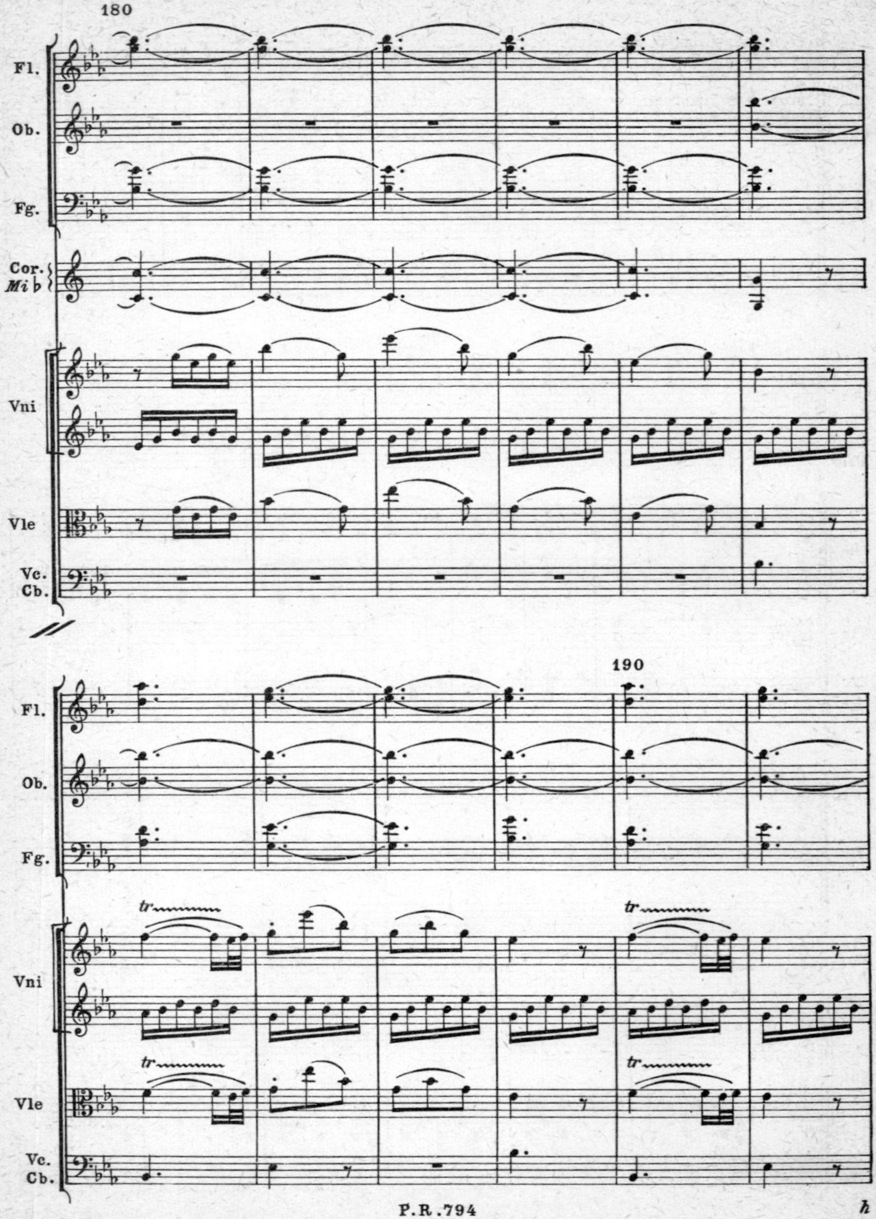
180
Fl.
Ob.
Fg.
Cor.
Mi ♭
Vni
Vle
Vc.
Cb.
190
Fl.
Ob.
Fg.
tr
Vni
tr
Vle
Vc.
Cb.

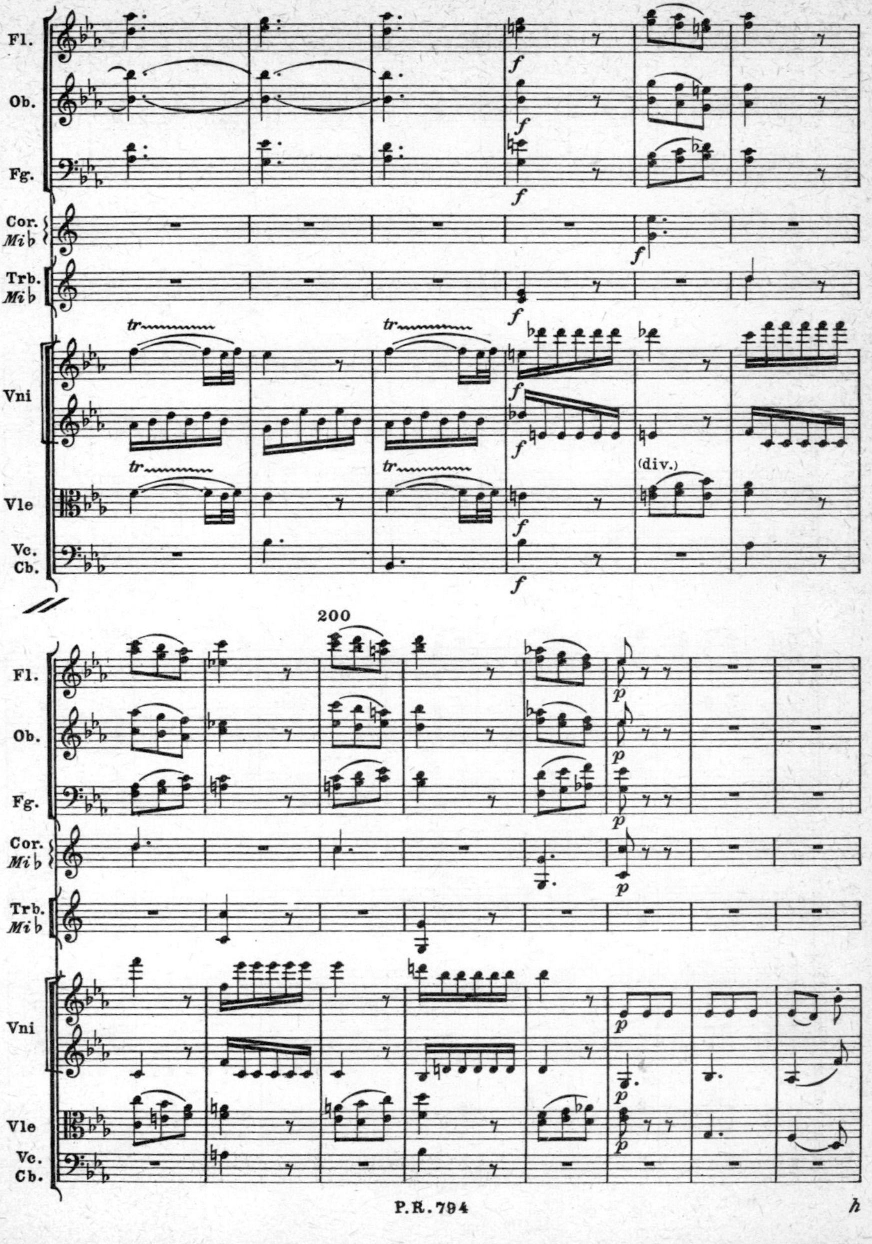

h

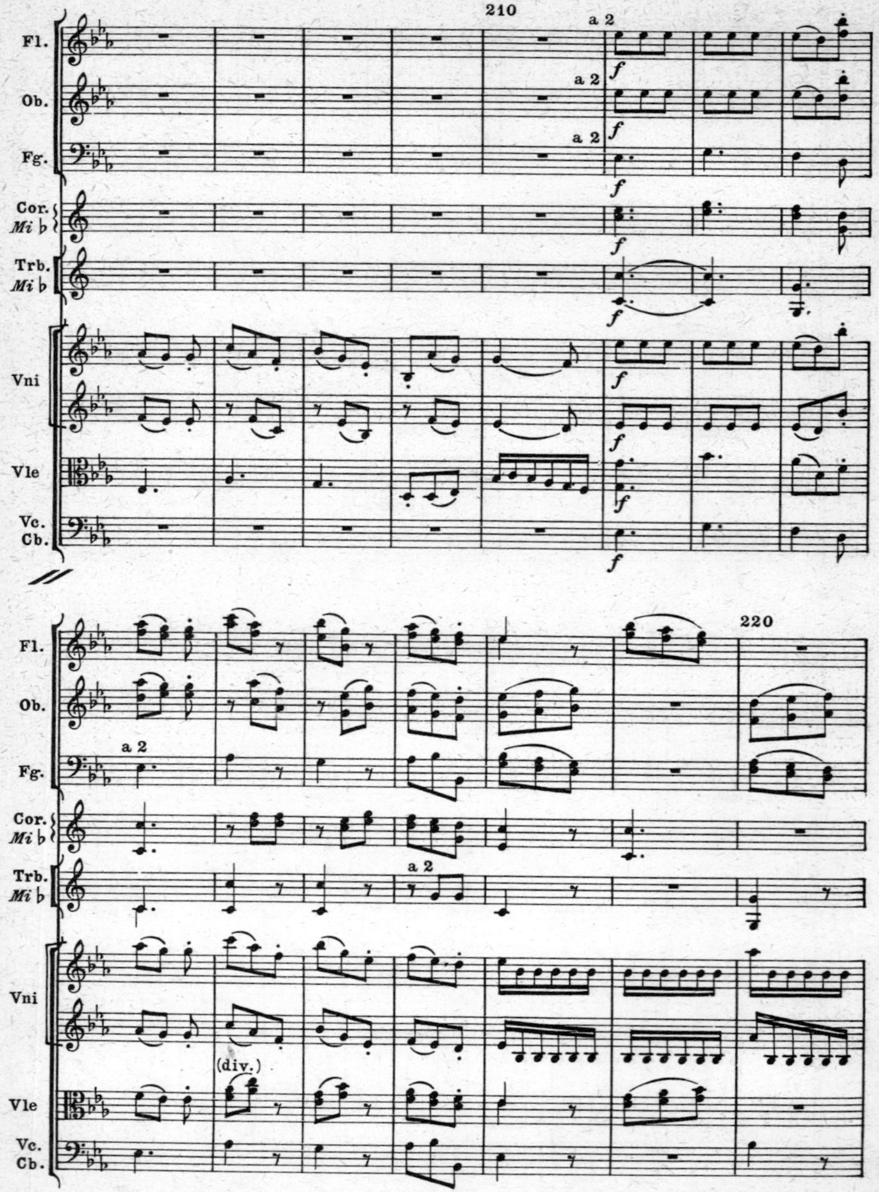
210
a 2
Fl.
Ob.
Fg.
Cor. Mi ♭
Trb. Mi ♭
Vni
Vle
Vc. Cb.
f
220
(div.)

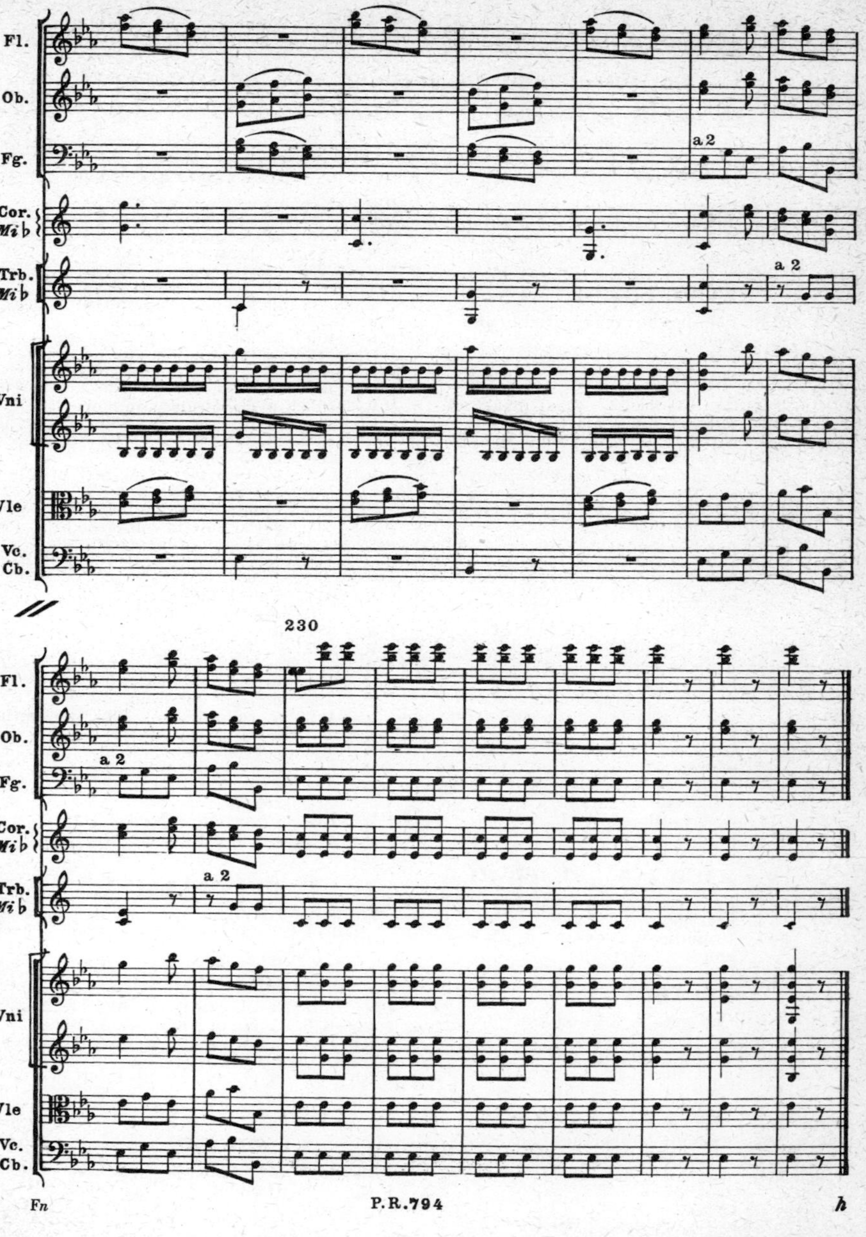
Fl.
Ob.
Fg.
a 2
Cor.
Mi♭
Trb.
Mi♭
a 2
Vni
Vle
Vc.
Cb.
230

PARTITURE
CLASSICHE E MODERNE

Le partiture sono in formato 16° ad eccezione di quelle precedute da un asterisco che sono in-8°.

ALFANO

*P.R. 226   Divertimento, per orchestra ridotta e pianoforte obbligato
P.R. 526   Eliana. Balletto su motivi popolari italiani

AVSHALOMOV

N.Y. 1675   Peiping hutungs. Symphonic poem

BACH J. S.

P.R. 634   Cantata n. 53 : Vieni omai, minuto estremo (it.-ted.)
P.R. 635   n. 56 : La dura croce vo' portare (it.-ted.)
P.R. 636   n. 85 : Io sono un buon pastore (it.-ted.)
P.R. 637   n. 104 : Pastore d'Israel, m'odi (it.-ted.)
P.R. 638   n. 211 : Silenzio ! zitti là ! (Cantata del caffè) (it.-ted.)
P.R. 387   Concerto brandeburghese n. 1 in fa
P.R. 388   n. 2 in fa
P.R. 252   n. 3 in sol
P.R. 322   n. 4 in sol
P.R. 253   n. 5 in re
P.R. 323   n. 6 in si bem.
P.R. 733   6 Concerti brandeburghesi (rilegati in tela e oro con astuccio)
P.R. 486   Concerto in la min., per v.no e orch.
P.R. 487   Concerto in mi, per v.no e orch.
P.R. 488   Concerto in la min., per 4 pf.
P.R. 616   Sonata in do n. 1
P.R. 617   id. in si min. n. 2

BACH J. S. - RESPIGHI

P.R. 531   Passacaglia in do min. (dall'organo)
P.R. 545   Preludio e fuga in re (dall'organo)

BEETHOVEN

P.R. 489   Concerto n. 3 in do min., op. 37, per pf. e orch.
P.R. 490   n. 4 in sol, op. 58
P.R. 491   n. 5 in mi bem., op. 73
P.R. 492   Concerto in re, op. 61, per v.no e orch.
P.R. 366   Coriolano. Ouverture, op. 62
P.R. 367   Egmont. Ouverture, op. 84
P.R. 368   Leonora n. 3. Ouverture. op. 72 a
P.R. 370   Quartetto in fa, op. 18 n. 1, per archi

BEETHOVEN (segue)

P.R. 371   in sol, op. 18 n. 2
P.R. 372   in re. op. 18 n. 3
P.R. 373   in do min., op. 18 n. 4
P.R. 374   in la, op. 18 n. 5
P.R. 375   in si bem., op. 18 n. 6
P.R. 380   in fa, op. 59 n. 1
P.R. 376   in mi min., op. 59 n. 2
P.R. 377   in do, op. 59 n. 3
P.R. 400   in mi bem., op. 74 : Arpa
P.R. 416   in fa min., op. 95
P.R. 401   in mi bem., op. 127
P.R. 402   in si bem., op. 130
P.R. 403   in do diesis min., op. 131
P.R. 404   in la min., op. 132
P.R. 405   in si bem., op. 133 : Fuga
P.R. 406   in fa, op. 135
P.R. 670   17 Quartetti (rilegati in tela e oro con astuccio)
P.R. 623   Rondino in mi bem, op. post.
P.R. 467   Settimino in mi bem., op. 20
P.R. 650   Sinfonie (rilegate in tela e oro oro con astuccio). Vol. I (1 a 5)
P.R. 651   Vol. II (6 a 9)
     Sinfonie, staccate :
P.R. 381   n. 1 in do, op. 21
P.R. 382   n. 2 in re, op. 36
P.R. 324   n. 3 in mi bem., op. 55 : Eroica
P.R. 383   n. 4 in si bem., op. 60
P.R. 325   n. 5 in do min., op. 67
P.R. 326   n. 6 in fa, op. 68 : Pastorale
P.R. 384   n. 7 in la, op. 92
P.R. 385   n. 8 in fa, op. 93
P.R. 386   n. 9 in re min., op. 125
P.R. 431   Trio in re per archi, op. 8 : Serenata
P.R. 615   in re op. 25, per flauto, v.no e v.la (Serenata)

BETTINELLI

* 126801   Divertimento, per piccola orch.
* 124971   2 Invenzioni, per orch. d'archi

BOCCHERINI

P.R. 657   3 Quartetti op. 6 n. 1, 2, 3
P.R. 658   3 id. op. 6 n. 4, 5, 6
P.R. 659   3 id. op. 1 n. 1, op. 10 n. 4, op. 27 n. 4
P.R. 660   3 id. op. 10 n. 1, op. 33 n. 6, op. 27 n. 3

BORODIN

P.R. 532   Nelle steppe dell'Asia centrale
P.R. 468   Quartetto in re, per archi

archi = cordes, strings, streicher

BRAHMS

P.R.	493	Concerto n. 2 in mi bem., op. 83, per pf. e orch.
P.R.	494	Concerto in re, op. 77. per v.no e orch.
P.R.	606	Ouverture tragica, op. 81
P.R.	417	Quartetto in do min., op. 51 n. 1, per archi
P.R.	418	in la min., op. 51 n. 2
P.R.	419	in si bem., op. 67
P.R.	483	Quintetto in fa min. op. 34, per pf. e archi
P.R.	482	in si min., op. 115, per cl. e archi
P.R.	611	Sinfonie (1 a 4) riunite (rilegate in tela e oro, con astuccio) Sinfonie, staccate :
P.R.	327	n. 1 in do min., op. 68
P.R.	328	n. 2 in re, op. 73
P.R.	389	n. 3 in fa. op. 90
P.R.	369	n. 4 in mi min., op. 98
P.R.	607	Variazioni su un tema di Haydn, op. 56 a

BUSTINI

P.R.	675	2º Quartetto, per archi

CASELLA

P.R.	731	Concerto, op. 56, per pf., v.no, vc. e orch
	118810	Le Couvent sur l'eau. Azione mimo-coreografica. Brani sinfonici
*P.R.	241	Notturno e tarantella, per vc. e orch.

CASTELNUOVO-TEDESCO

	122047	Ouvertures per il teatro di Shakespeare, n. 1 : La Bisbetica domata
P.R.	648	n. 2 : La Dodicesima notte

CATALANI-ZANDONAI

*	124411	In sogno, per piccola orch.

CECE

*	124806	Notturno

CIAIKOVSKI

P.R.	522	Concerto in si bem. min. n. 1 op. 23, per pf. e orch.
P.R.	521	in re op. 35, per v.no e orch.
P.R.	608	Lo Schiaccianoci. Suite op. 71 a
P.R.	653	4ª Sinfonia in fa min., op. 36
P.R.	519	5ª in mi min., op. 64
P.R.	520	6ª in si min., op. 74 (Patetica)

CILÈA

123989	Piccola suite

CINQUE

B.A.	10832	Cipressi. Impressione romantica (in-4º)

CORELLI

*P.R.	674	8º Concerto grosso, dall'op. 6 : Per la notte di Natale (Toni)

DE FALLA

Vedi : Falla

DE SABATA

118672	Juventus. Poema sinfonico

DONATI

P.R.	726	3 Acquarelli paesani

DUBENSKI A.

	122636	Fuga, per 9 leggii di primi vni.
P.R.	649	Suite Anno 1600

FALLA

P.R.	667	Homenajes

FERRARI - TRECATE

P.R.	440	Le Astuzie di Bertoldo. Sinfonia

FRANCK - GUI

*	124969	Preludio, aria e finale

FRAZZI

P.R.	303	Preludio magico

GABRIELI

P.R.	673	Aria della battaglia « per sonar d'instrumenti da fiato a 8 » (Ghedini)

GAVAZZENI

*P.R.	280	1º Concerto di Cinquandò
*P.R.	281	2º Concerto di Cinquandò
*P.R.	411	3º Concerto di Cinquandò

GHEDINI

P.R.	729	Architetture. Concerto per orch.
P.R.	283	Canzoni
P.R.	546	Concerto, per fl., v.no e orch. detto : L'Alderina
*P.R.	232	Concerto, per v.no e archi, detto : Il Belprato
P.R.	665	Concerto, per 2 vci. concertanti e orch. detto : L'Olmeneta
*P.R.	221	Concerto, per pf. e orch.
P.R.	219	Partita
P.R.	220	Pezzo concertante, per 2 v.ni e v.la obbligati e orch.

GIANFERRARI

P.R.	365	Quartetto

GIANNINI

*N.Y.	1537	Frescobaldiana (dai 3 Pezzi per organo di Frescobaldi)

archi = cordes, strings, streicher

GNECCHI

| P.R. | 316 | Poema eroico (Notte nel campo di Holopherne) |

GUBITOSI

| P.R. | 663 | Notturno |

GUERRINI

| | 122663 | 3 Pezzi, per orch. d'archi |

HAENDEL

Concerti grossi :

P.R.	429	n. 1 in sol
P.R.	464	n. 5 in re
P.R.	430	n. 6 in sol min.
P.R.	465	n. 10 in re min.

HAENDEL - MOLINARI

| P.R. | 548 | Largo |

HAYDN

P.R.	423	Quartetto in sol. op. 17 n. 5. per archi
P.R.	424	in la. op. 20 n. 6
P.R.	425	in do. op. 33 n. 3
P.R.	407	in sol. op. 54 n. 1
P.R.	391	in re. op. 64 n. 5
P.R.	408	in sol min. op. 74 n. 3
P.R.	426	in sol. op. 76 n. 1
P.R.	392	in re min. op. 76 n. 2
P.R.	393	in do. op. 76 n. 3
P.R.	409	in si bem. op. 76 n. 4
P.R.	394	in re. op. 76 n. 5
P.R.	427	in sol. op. 77 n. 1
P.R.	495	Sinfonia in do n. 7 : Mezzogiorno
P.R.	498	in fa diesis min. n. 45 : Addio
P.R.	502	in do n. 82 : L'Orso
P.R.	503	in si bem. n. 85 : La Regina
P.R.	329	in sol n. 92 : Oxford
P.R.	481	in sol n. 94 : Sorpresa
P.R.	485	in do n. 97
P.R.	336	in mi n. 99
P.R.	330	in sol n. 100 : Militare
P.R.	504	in re n. 101 : L'Orologio
P.R.	480	in mi bem. n. 103 : Rullo di timpani
P.R.	331	in re n. 104 : Londra

LEO

| *P.R. | 317 | Concerto a 4 v.ni obbligati con orch. d'archi e cemb. (Polo-Abbado) |

LONGO ACH.

| P.R. | 547 | Serenata in do |

MALIPIERO

P.R.	300	L'Arca di Noè. 6° Quartetto
P.R.	528	Concerti
P.R.	428	3° Concerto, per pf. e orch.
P.R.	540	4° Concerto, per pf. e orch.
P.R.	664	Elegia-Capriccio
P.R.	543	5 Favole, per 1 voce e piccola orch.
P.R.	390	Mondi celesti, per 1 voce e 10 strumenti (dai Mondi celesti e infernali)

MALIPIERO (segue)

P.R.	655	Passacaglie
P.R.	541	7° Quartetto
P.R.	274	1ª Sinfonia (in 4 tempi, come le 4 Stagioni)
P.R.	529	2ª Sinfonia : Elegiaca
P.R.	286	4ª Sinfonia : In memoriam
P.R.	282	5ª Sinfonia : Concertante in eco
P.R.	299	6ª Sinfonia : Degli archi
P.R.	318	7ª Sinfonia : Delle canzoni
P.R.	639	Sinfonia dello Zodiaco. 4 Partite dalla primavera all'inverno
P.R.	542	Sinfonia in un tempo
P.R.	288	Sonata a cinque, per fl., v.no. viola, vc. ed arpa (op. : 2 v.ni, viola, vc. e pf.)
P.R.	287	Stornelli e ballate
P.R.	337	Stradivario. Fantasia di strumenti che ballano, per orch.
P.R.	666	Vivaldiana

MARINUZZI

| *P.R. | 212 | Valzer campestre (dalla Suite siciliana) |

MARTUCCI

*P.R.	225	Gavotta, op. 55 n. 2
*P.R.	210	Giga, op. 61 n. 3
*P.R.	204	Notturno, op. 70 n. 1
*P.R.	205	Novelletta, op. 82
*P.R.	208	Tarantella, op. 44 n. 6

MENDELSSOHN

P.R.	508	Concerto in mi min.. op. 64 per v.no e orch.
P.R.	507	La Grotta di Fingal. Ouverture. op. 26
P.R.	505	Sinfonia n. 3 in la min.. op. 56 : Scozzese
P.R.	506	n. 4 in la. op. 90 : Italiana

MENOTTI

| P.R. | 242 | Sebastian. Balletto. Suite |

MONTANI

| | 124003 | Concertino in mi, per pf. e orch. d'archi |

MOZART

P.R.	511	Concerto in la. per pf. e orch. (K. 488)
P.R.	512	in do min. (K. 491)
P.R.	513	in re (K. 537)
P.R.	514	Concerto in sol. per v.no (K. 216)
P.R.	515	in re (K. 218)
P.R.	516	in la (K. 219)
P.R.	631	in la per cl. e orch. (K. 622)
P.R.	632	in re per flauto e orch. (K. 314)
P.R.	620	Divertimento in re n. 7 (K. 205)
P.R.	621	in re n. 11 (K. 251)
P.R.	622	in si bem. n. 14 (K. 270)
P.R.	509	Don Giovanni : Ouverture (K. 527)
P.R.	510	Il Flauto magico : Ouverture (K. 620)

archi = cordes, strings, streicher

MOZART

SINFONIA IN SOL

K. 199

G   Dur
G   Major
Sol   Majeur
Sol Mayor

RICORDI

Orchestra

2 Flauti (Fl.)

    2 Corni in *Sol* e in *Re* (Cor.)

Violini I ⎫
Violini II ⎬ (Vni)
Viole (Vle)
Violoncelli (Vc.)
Contrabbassi (Cb.)

P. R. 795

SINFONIA

K. 199 (1774) | Sol maggiore G dur G major Sol majeur Sol mayor

W. A. MOZART
(1756 - 1791)

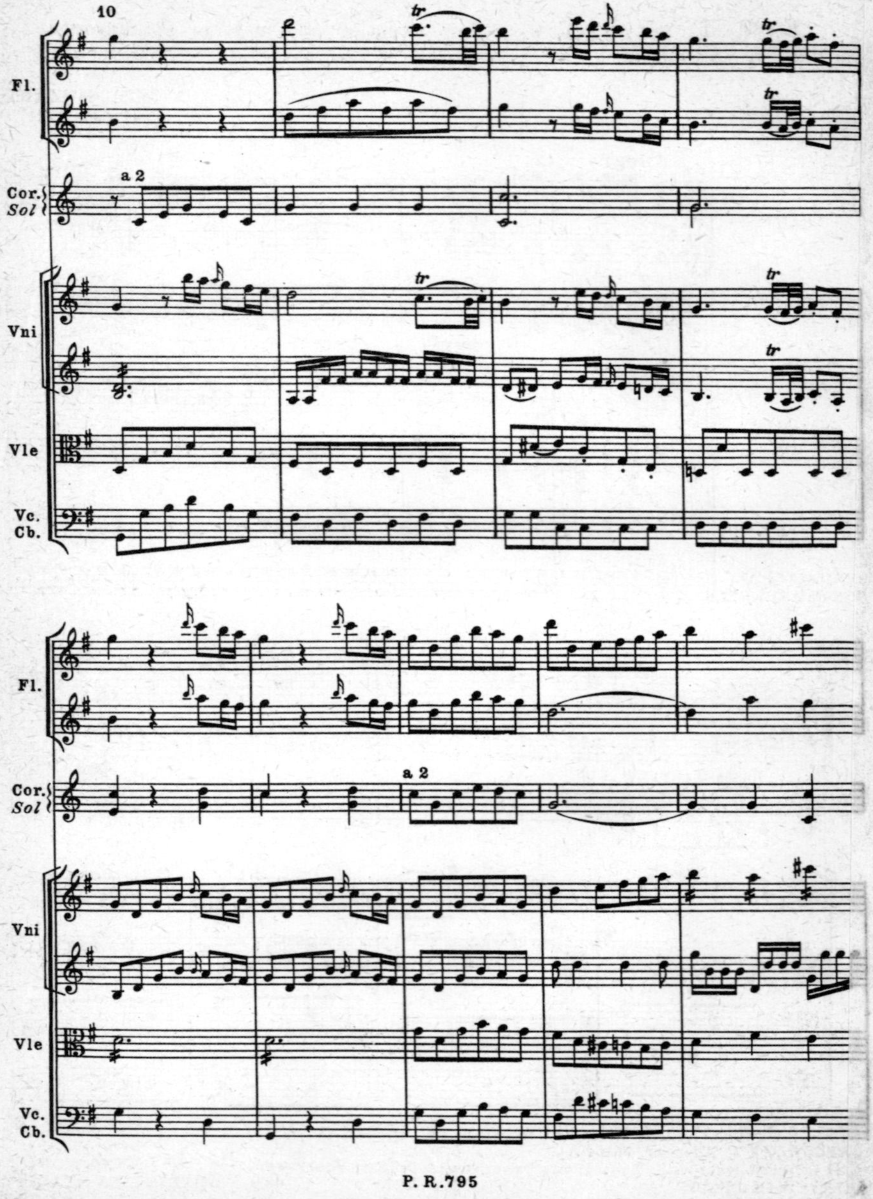
10
Fl.
a 2
Cor.
Sol
tr
Vni
Vle
Vc.
Cb.
Fl.
a 2
Cor.
Sol
Vni
Vle
Vc.
Cb.

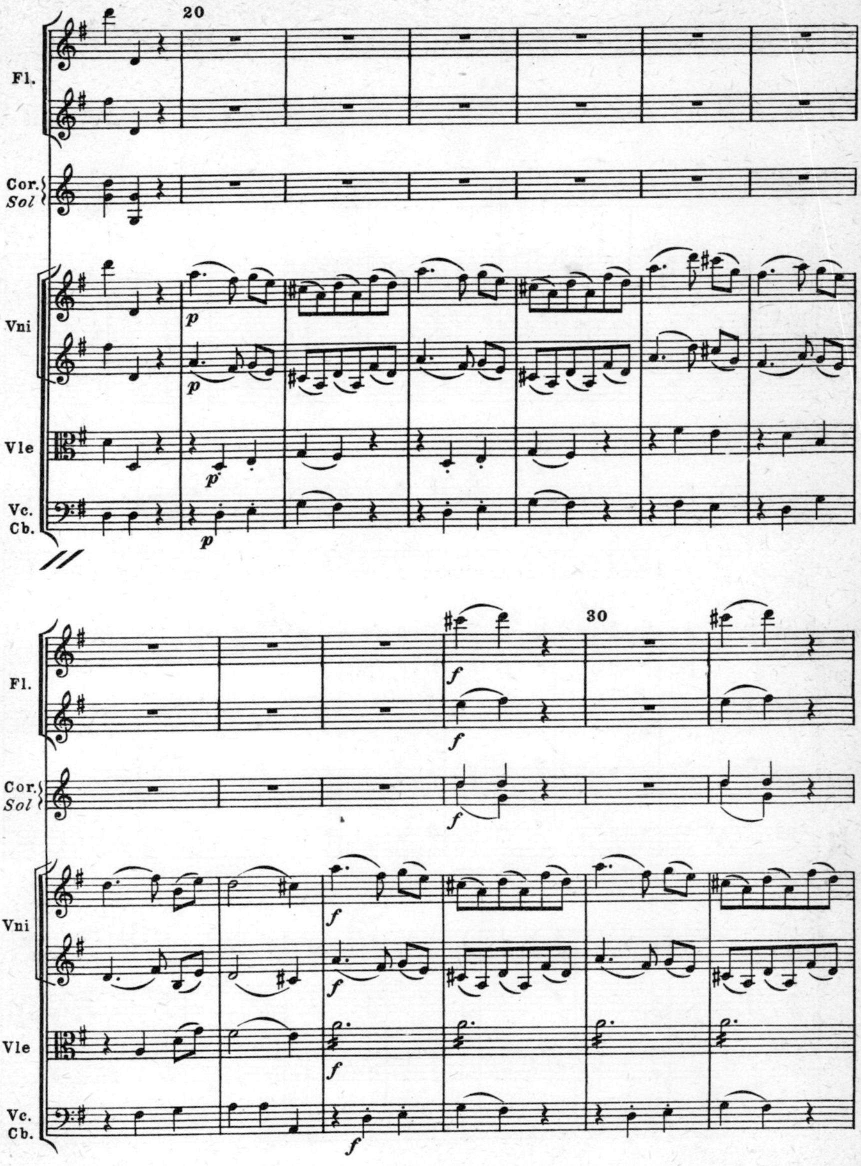

k

4

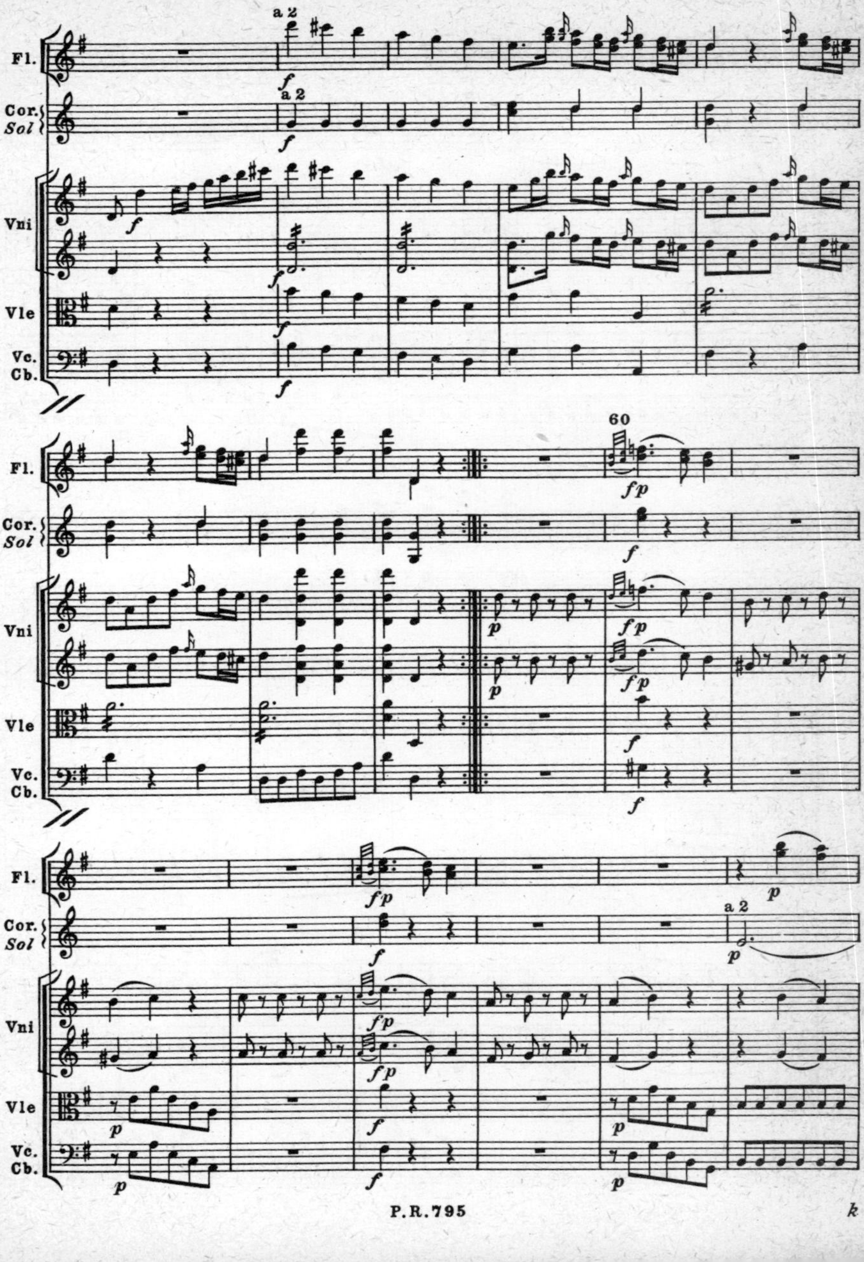

k

k

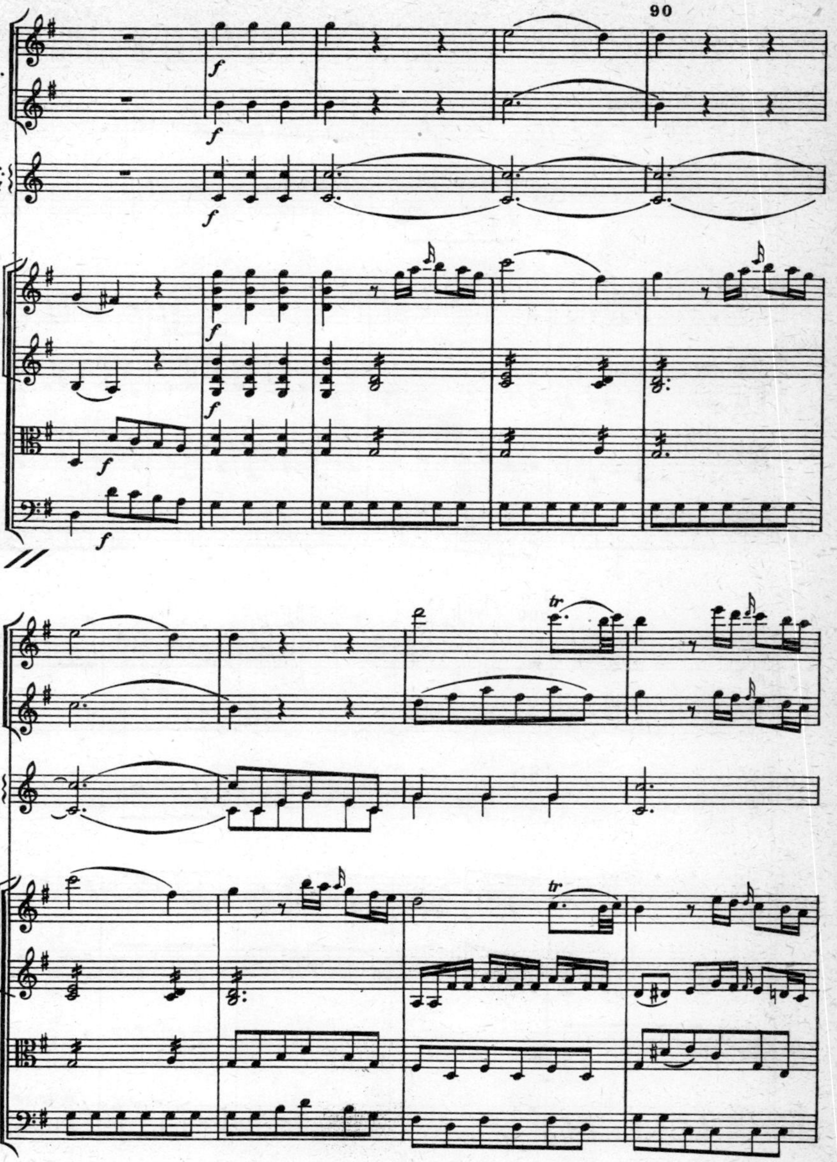
90
Fl.
Cor.
Sol
Vni
Vle
Vc.
Cb.
f
tr

8

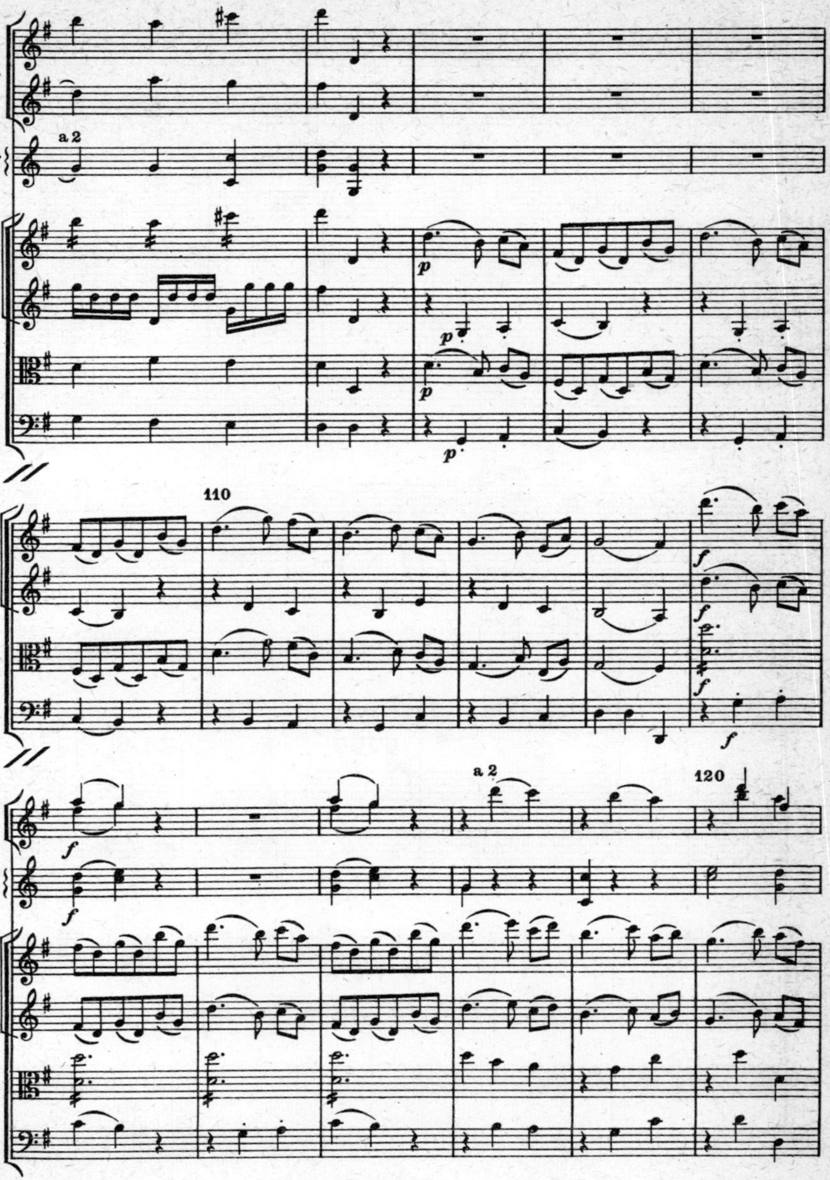

k

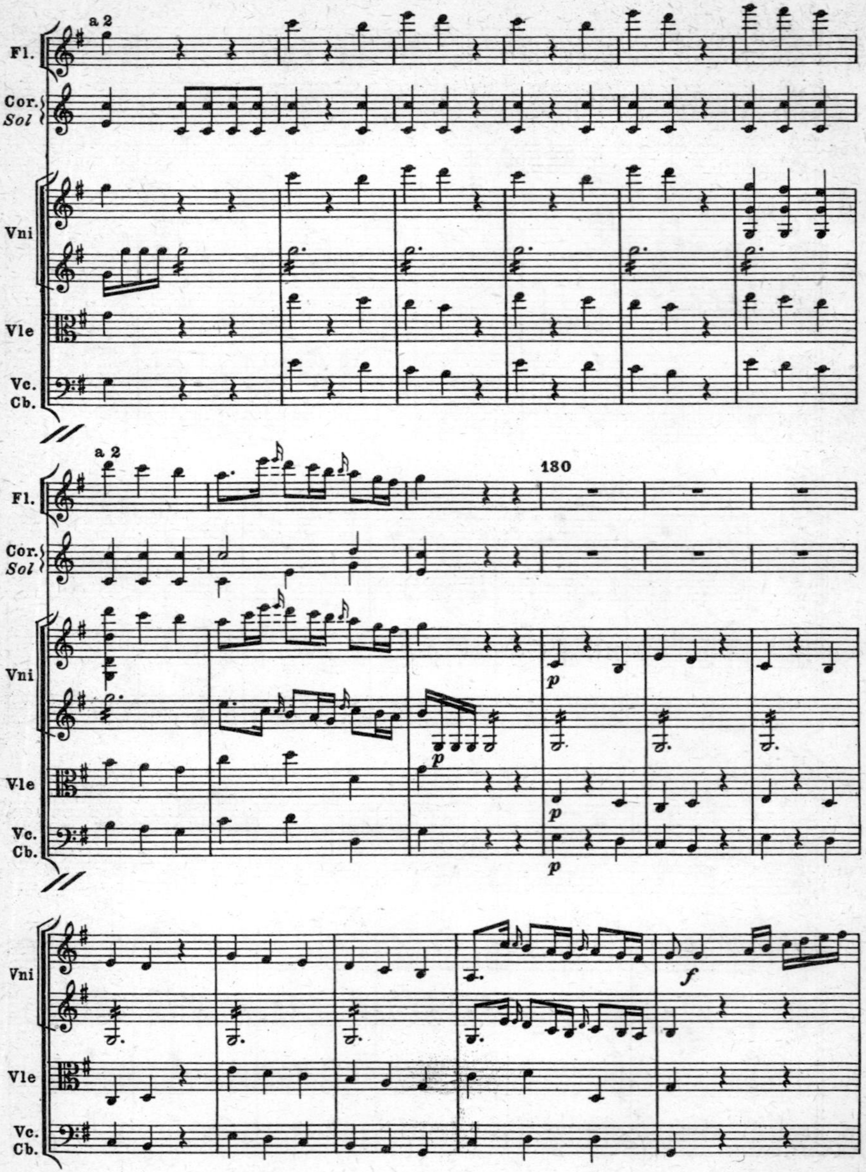

k

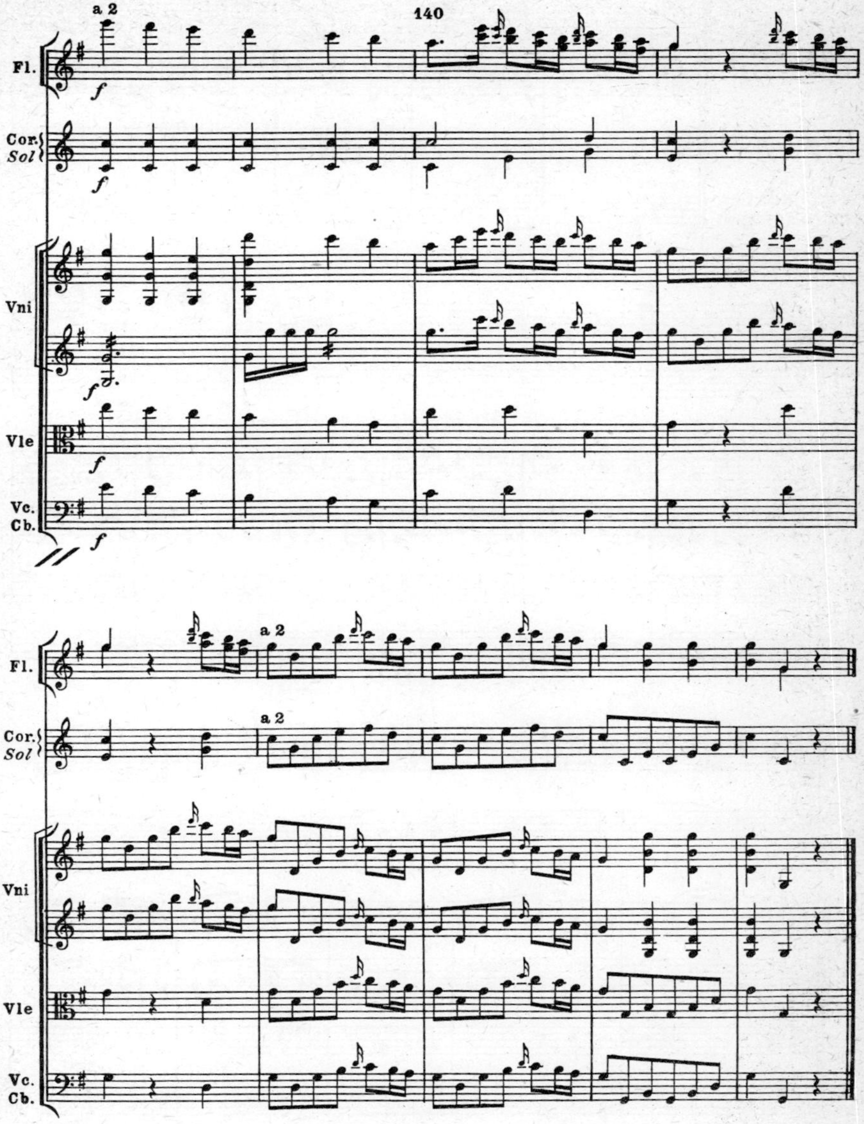

k

Andantino grazioso
VIOLINI
I.
II.
VIOLE
VIOLONCELLI
CONTRABBASSI
p
pizz.
uniti
10
Fl.
Cor.
Re
Vni
Vle
Vc.
Cb.

k

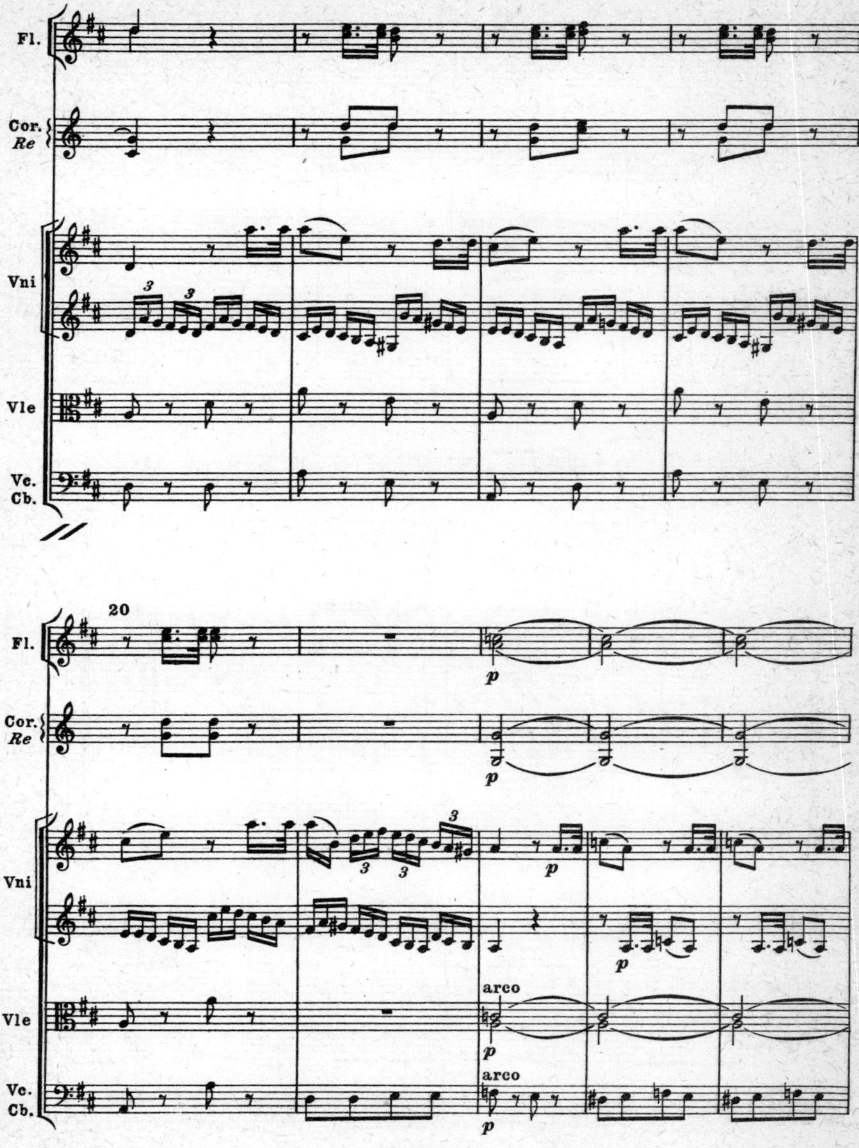
Fl.
Cor.
Re
Vni
Vle
Vc.
Cb.
20
p
arco

14

k

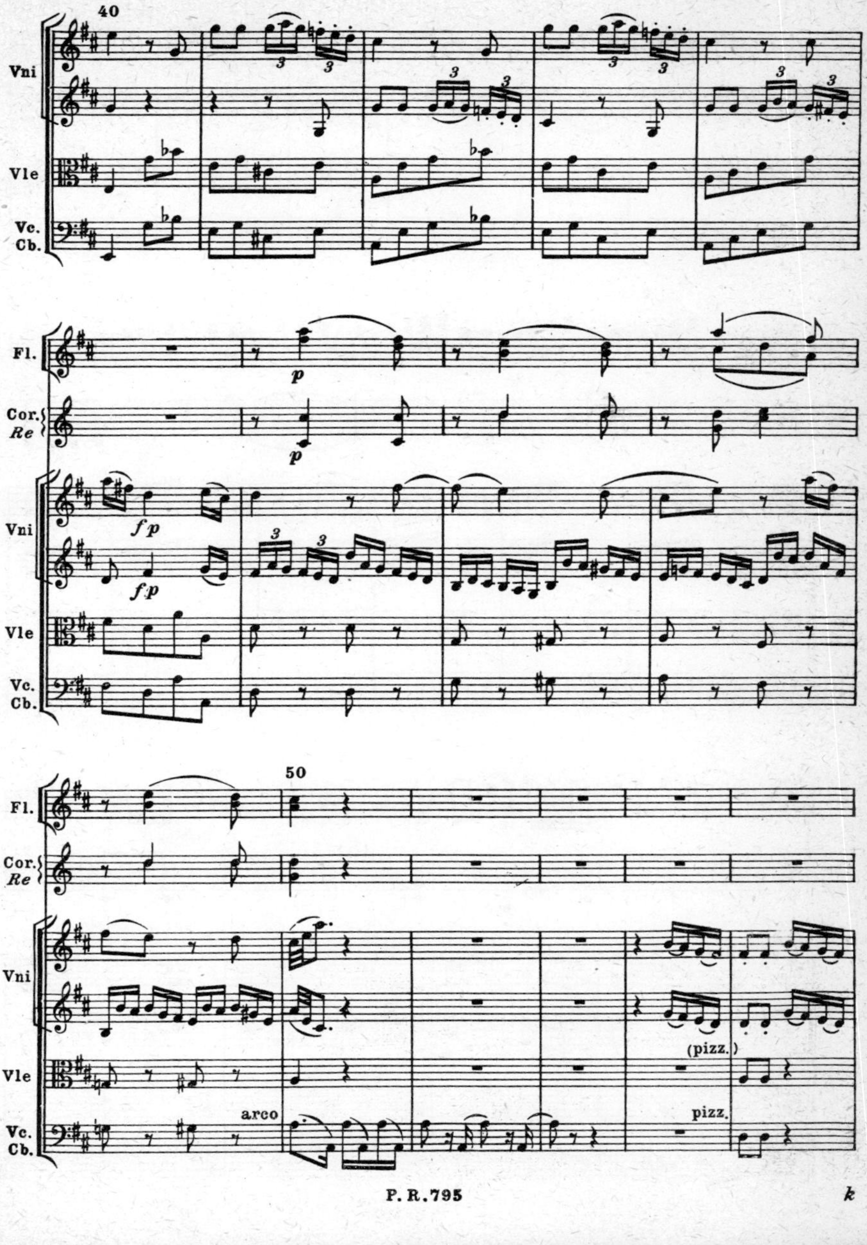
40
Vni
Vle
Vc.
Cb.
Fl.
Cor.
Re
p
fp
50
arco
pizz.
(pizz.)

60
Vni
Vle
Vc.
Cb.
Fl.
p
Cor.
Re
p
Vni
Vle
Vc.
Cb.
70
Fl.
Cor.
Re
Vni
Vle
Vc.
Cb.

k

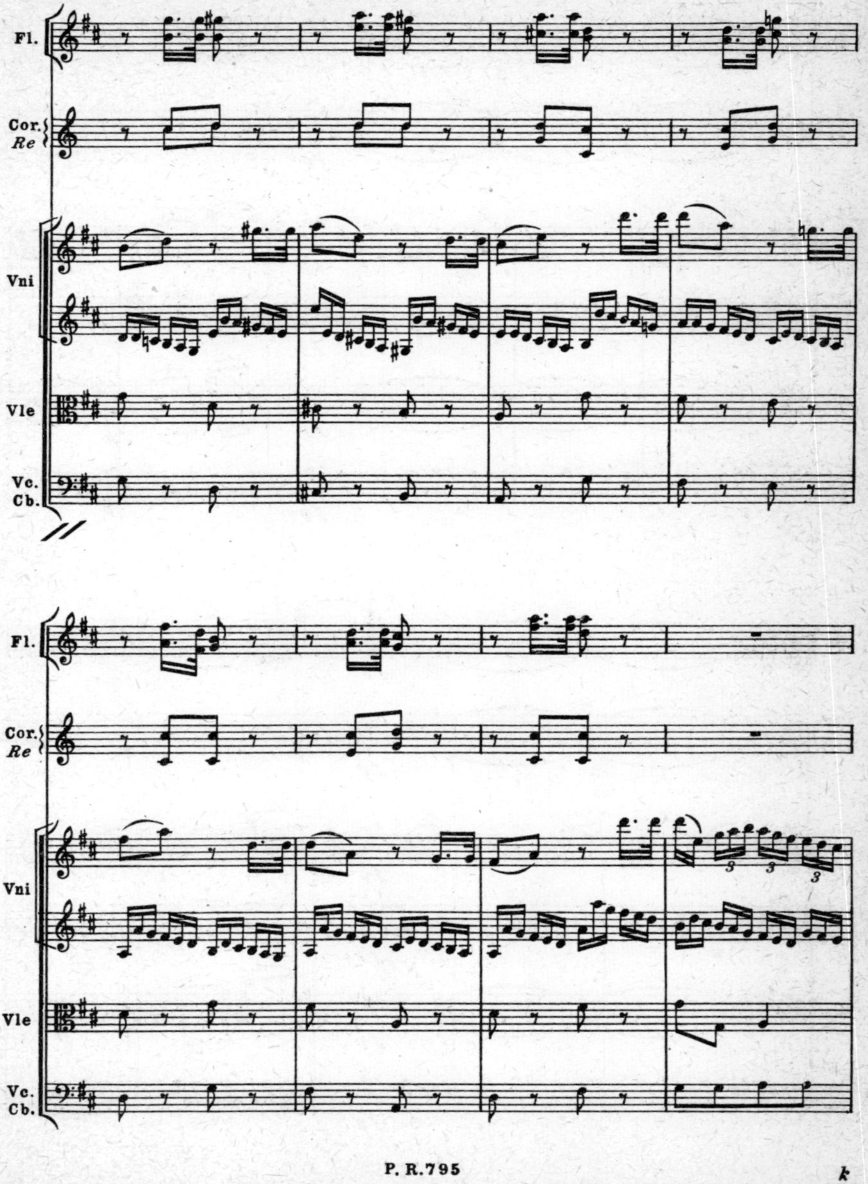
Fl.
Cor.
Re
Vni
Vle
Vc.
Cb.
Fl.
Cor.
Re
Vni
Vle
Vc.
Cb.

80
Fl.
Cor. Re
Vni
Vle
Vc. Cb.
arco
arco
p
fp
Fl.
Cor. Re
Vni
Vle
Vc. Cb.
p
fp

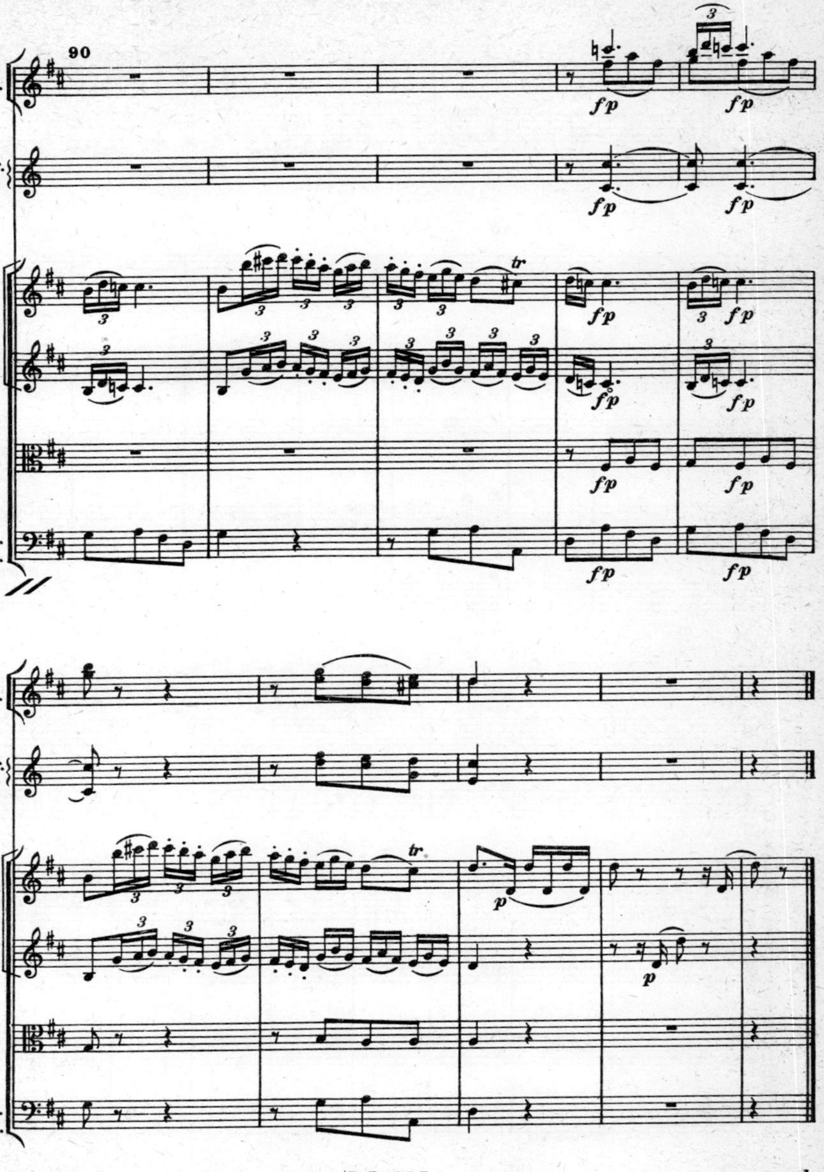
90
Fl.
Cor.
Re
Vni
Vle
Vc.
Cb.
fp
tr
p

k

30
Fl.
Cor.
Sol
Vni
tr
p
p
Vle
p
Vc.
Cb.
p
40
Vni
Vle
Vc.
Cb.
50
Vni
f
Vle
Vc.
Cb.

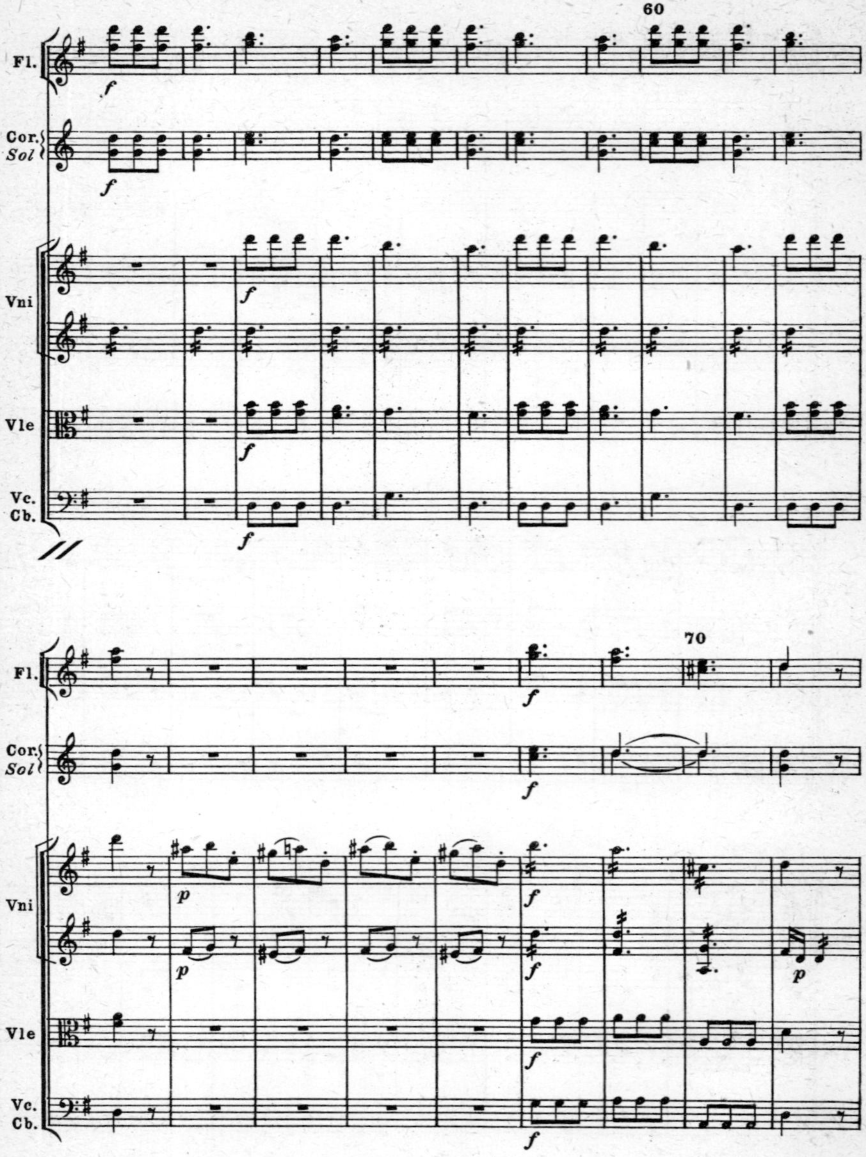

k

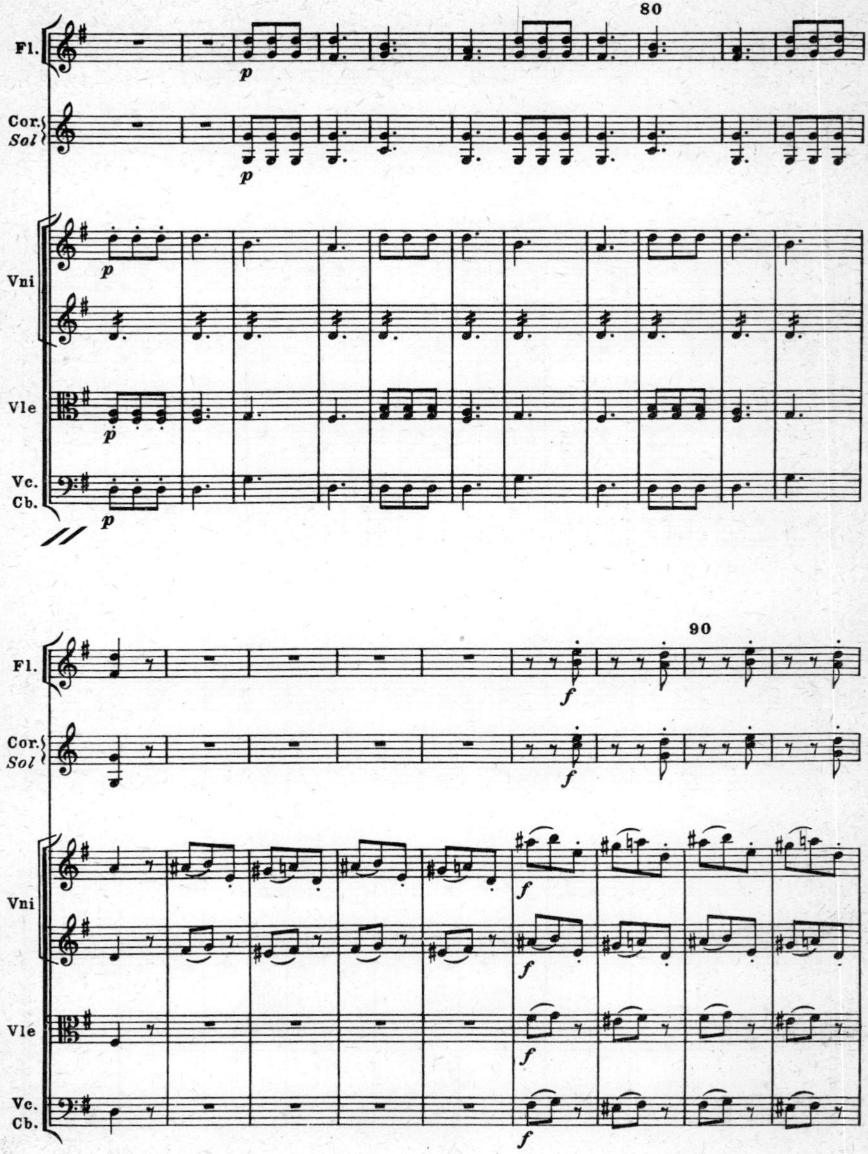

k

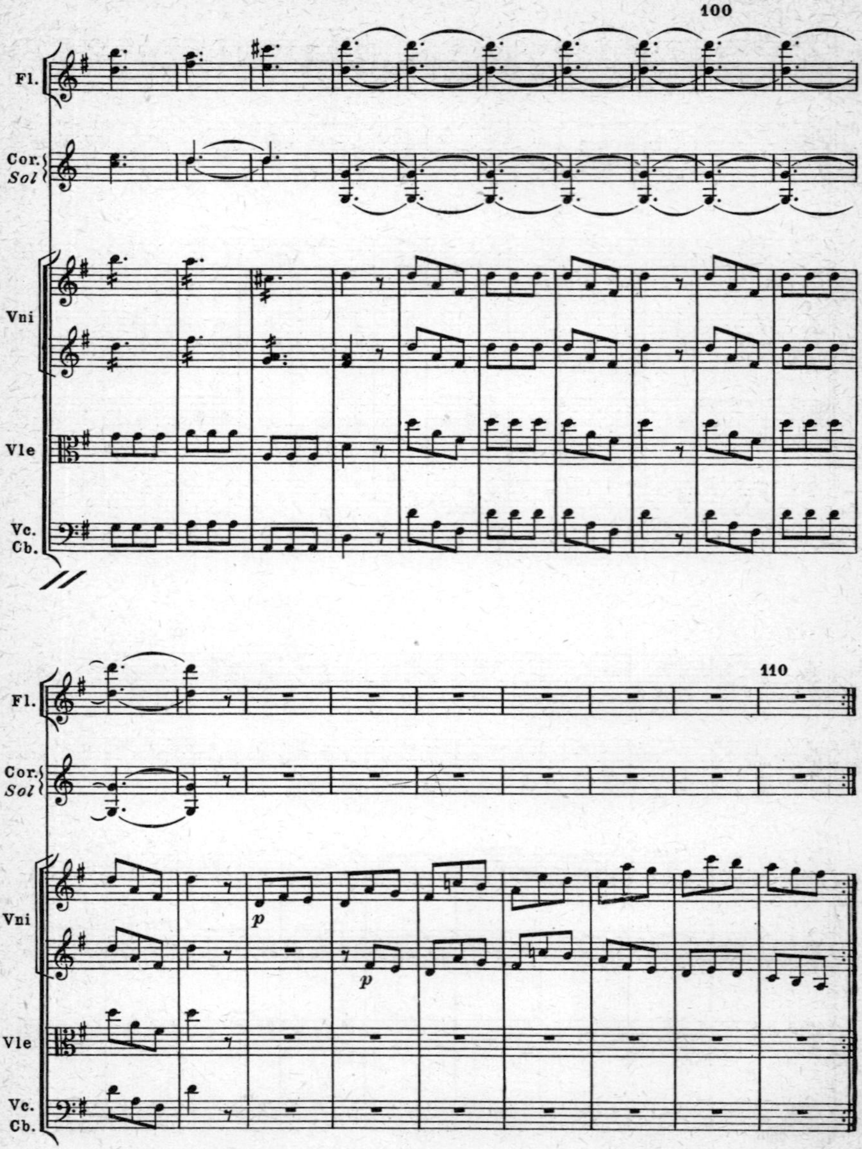

k

a 2
120
Fl.
f
Cor.
Sol
a 2
Vni
Vle
Vc.
Cb.
a 2
130
Fl.
a 2
Cor.
Sol
Vni
Vle
Vc.
Cb.

a 2
Fl.
Cor. Sol
Vni
Vle
Vc. Cb.
140
Fl.
Cor. Sol
Vni
p
Vle
p
Vc. Cb.
p
150
Vni
Vle
Vc. Cb.

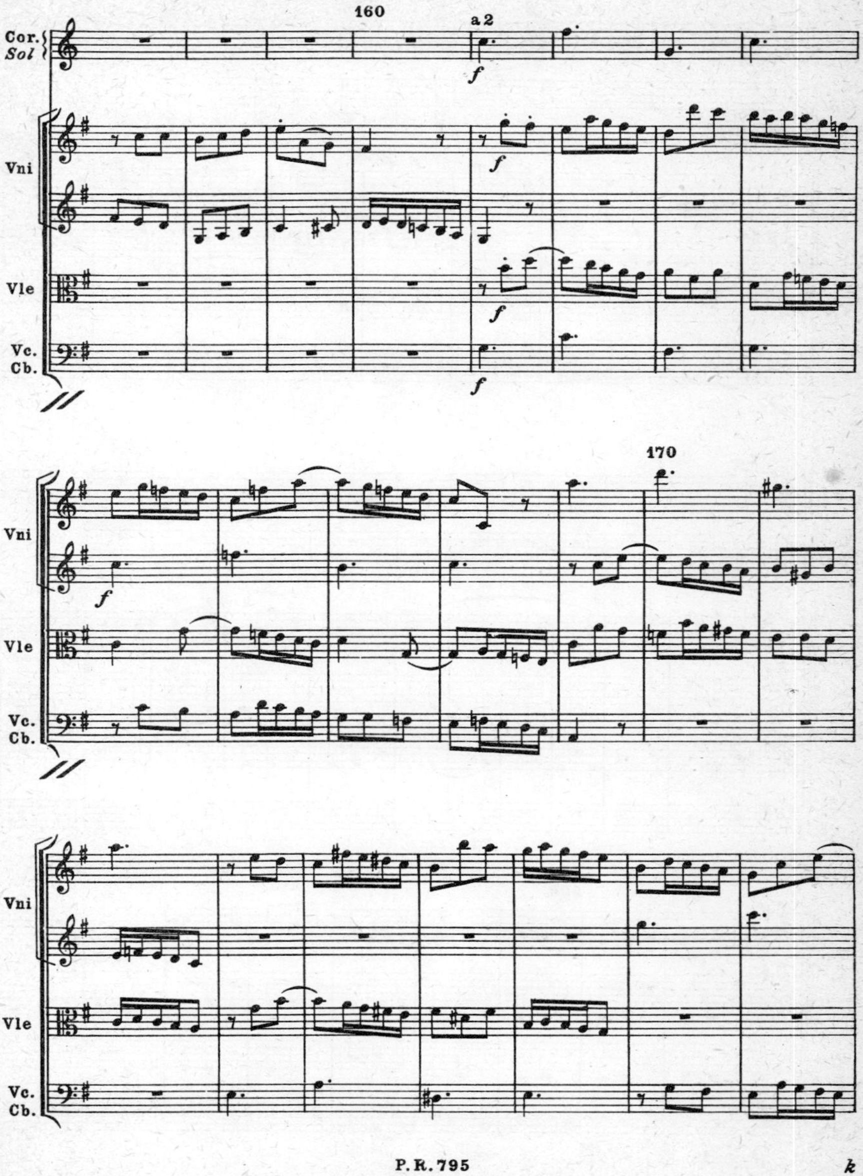
160
a 2
Cor.
Sol
f
Vni
Vle
Vc.
Cb.
170

28

P. R. 795

k

210
Vni
Vle
Vc.
Cb.
220
Fl.
Cor.
Sol
Vni
Vle
Vc.
Cb.
230
Fl.
Cor.
Sol
Vni
Vle
Vc.
Cb.

31

Fn

k

290
Vni
Vc.
Cb.
p
Vni
Vle
p
Vc.
Cb.
300
a 2
Fl.
f
a 2
Cor.
Sol
f
Vni
f
f
Vle
f
Vc.
Cb.
f

k

PARTITURE
CLASSICHE E MODERNE

Le partiture sono in formato 16° ad eccezione di quelle precedute da un asterisco che sono in-8°.

ALFANO

*P.R.	226	Divertimento, per orchestra ridotta e pianoforte obbligato
P.R.	526	Eliana. Balletto su motivi popolari italiani

AVSHALOMOV

N.Y.	1675	Peiping hutungs. Symphonic poem

BACH J. S.

P.R.	634	Cantata n. 53 : Vieni omai, minuto estremo (it.-ted.)
P.R.	635	n. 56 : La dura croce vo' portare (it.-ted.)
P.R.	636	n. 85 : Io sono un buon pastore (it.-ted.)
P.R.	637	n. 104 : Pastore d'Israel, m'odi (it.-ted.)
P.R.	638	n. 211 : Silenzio ! zitti là ! (Cantata del caffè) (it.-ted.)
P.R.	387	Concerto brandeburghese n. 1 in fa
P.R.	388	n. 2 in fa
P.R.	252	n. 3 in sol
P.R.	322	n. 4 in sol
P.R.	253	n. 5 in re
P.R.	323	n. 6 in si bem.
P.R.	733	6 Concerti brandeburghesi (rilegati in tela e oro con astuccio)
P.R.	486	Concerto in la min., per v.no e orch.
P.R.	487	Concerto in mi, per v.no e orch.
P.R.	488	Concerto in la min., per 4 pf.
P.R.	616	Sonata in do n. 1
P.R.	617	id. in si min. n. 2

BACH J. S. - RESPIGHI

P.R.	531	Passacaglia in do min. (dall'organo)
P.R.	545	Preludio e fuga in re (dall'organo)

BEETHOVEN

P.R.	489	Concerto n. 3 in do min., op. 37, per pf. e orch.
P.R.	490	n. 4 in sol, op. 58
P.R.	491	n. 5 in mi bem.. op. 73
P.R.	492	Concerto in re, op. 61, per v.no e orch.
P.R.	366	Coriolano. Ouverture, op. 62
P.R.	367	Egmont. Ouverture, op. 84
P.R.	368	Leonora n. 3. Ouverture, op. 72 a
P.R.	370	Quartetto in fa, op. 18 n. 1, per archi

BEETHOVEN (segue)

P.R.	371	in sol, op. 18 n. 2
P.R.	372	in re, op. 18 n. 3
P.R.	373	in do min., op. 18 n. 4
P.R.	374	in la, op. 18 n. 5
P.R.	375	in si bem., op. 18 n. 6
P.R.	380	in fa, op. 59 n. 1
P.R.	376	in mi min., op. 59 n. 2
P.R.	377	in do, op. 59 n. 3
P.R.	400	in mi bem., op. 74 : Arpa
P.R.	416	in fa min., op. 95
P.R.	401	in mi bem., op. 127
P.R.	402	in si bem., op. 130
P.R.	403	in do diesis min., op. 131
P.R.	404	in la min., op. 132
P.R.	405	in si bem., op. 133 : Fuga
P.R.	406	in fa, op. 135
P.R.	670	17 Quartetti (rilegati in tela e oro con astuccio)
P.R.	623	Rondino in mi bem. op. post.
P.R.	467	Settimino in mi bem., op. 20
P.R.	650	Sinfonie (rilegate in tela e oro con astuccio). Vol. I (1 a 5)
P.R.	651	Vol. II (6 a 9)
		Sinfonie, staccate :
P.R.	381	n. 1 in do, op. 21
P.R.	382	n. 2 in re, op. 36
P.R.	324	n. 3 in mi bem., op. 55 : Eroica
P.R.	383	n. 4 in si bem., op. 60
P.R.	325	n. 5 in do min., op. 67
P.R.	326	n. 6 in fa, op. 68 : Pastorale
P.R.	384	n. 7 in la, op. 92
P.R.	385	n. 8 in fa, op. 93
P.R.	386	n. 9 in re min., op. 125
P.R.	431	Trio in re per archi, op. 8 : Serenata
P.R.	615	in re op. 25, per flauto, v.no e v.la (Serenata)

BETTINELLI

*	126801	Divertimento, per piccola orch.
*	124971	2 Invenzioni, per orch. d'archi

BOCCHERINI

P.R.	657	3 Quartetti op. 6 n. 1, 2, 3
P.R.	658	3 id. op. 6 n. 4, 5, 6
P.R.	659	3 id. op. 1 n. 1. op. 10 n. 4, op. 27 n. 4
P.R.	660	3 id. op. 10 n. 1, op. 33 n. 6, op. 27 n. 3

BORODIN

P.R.	532	Nelle steppe dell'Asia centrale
P.R.	468	Quartetto in re, per archi

archi = cordes, strings, streicher

BRAHMS

P.R.	493	Concerto n. 2 in mi bem., op. 83, per pf. e orch.
P.R.	494	Concerto in re. op. 77. per v.no e orch.
P.R.	606	Ouverture tragica, op. 81
P.R.	417	Quartetto in do min., op. 51 n. 1, per archi
P.R.	418	in la min., op. 51 n. 2
P.R.	419	in si bem., op. 67
P.R.	483	Quintetto in fa min. op. 34. per pf. e archi
P.R.	482	in si min., op. 115. per cl. e archi
P.R.	611	Sinfonie (1 a 4) riunite (rilegate in tela e oro, con astuccio) Sinfonie, staccate :
P.R.	327	n. 1 in do min., op. 68
P.R.	328	n. 2 in re, op. 73
P.R.	389	n. 3 in fa, op. 90
P.R.	369	n. 4 in mi min., op. 98
P.R.	607	Variazioni su un tema di Haydn, op. 56 a

BUSTINI

| P.R. | 675 | 2° Quartetto, per archi |

CASELLA

P.R.	731	Concerto, op. 56, per pf., v.no, vc. e orch
	118810	Le Couvent sur l'eau. Azione mimo-coreografica. Brani sinfonici
*P.R.	241	Notturno e tarantella, per vc. e orch.

CASTELNUOVO-TEDESCO

| | 122047 | Ouvertures per il teatro di Shakespeare. n. 1: La Bisbetica domata |
| P.R. | 648 | n. 2: La Dodicesima notte |

CATALANI-ZANDONAI

| * | 124411 | In sogno, per piccola orch. |

CECE

| * | 124806 | Notturno |

CIAIKOVSKI

P.R.	522	Concerto in si bem. min. n. 1 op. 23, per pf. e orch.
P.R.	521	in re op. 35, per v.no e orch.
P.R.	608	Lo Schiaccianoci. Suite op. 71 a
P.R.	653	4ª Sinfonia in fa min., op. 36
P.R.	519	5ª in mi min., op. 64
P.R.	520	6ª in si min., op. 74 (Patetica)

CILÈA

| | 123989 | Piccola suite |

CINQUE

| B.A. | 10832 | Cipressi. Impressione romantica (in-4°) |

CORELLI

| *P.R. | 674 | 8° Concerto grosso, dall'op. 6 : Per la notte di Natale (Toni) |

DE FALLA

Vedi : Falla

DE SABATA

| | 118672 | Juventus. Poema sinfonico |

DONATI

| P.R. | 726 | 3 Acquarelli paesani |

DUBENSKI A.

| | 122636 | Fuga, per 9 leggii di primi vni. |
| P.R. | 649 | Suite Anno 1600 |

FALLA

| P.R. | 667 | Homenajes |

FERRARI - TRECATE

| P.R. | 440 | Le Astuzie di Bertoldo. Sinfonia |

FRANCK - GUI

| * | 124969 | Preludio, aria e finale |

FRAZZI

| P.R. | 303 | Preludio magico |

GABRIELI

| P.R. | 673 | Aria della battaglia « per sonar d'instrumenti da fiato a 8 » (Ghedini) |

GAVAZZENI

*P.R.	280	1° Concerto di Cinquandò
*P.R.	281	2° Concerto di Cinquandò
*P.R.	411	3° Concerto di Cinquandò

GHEDINI

P.R.	729	Architetture. Concerto per orch.
P.R.	283	Canzoni
P.R.	546	Concerto, per fl., v.no e orch. detto : L'Alderina
*P.R.	232	Concerto, per v.no e archi, detto : Il Belprato
P.R.	665	Concerto, per 2 vci. concertanti e orch. detto : L'Olmeneta
*P.R.	221	Concerto, per pf. e orch.
P.R.	219	Partita
P.R.	220	Pezzo concertante, per 2 v.ni e v.la obbligati e orch.

GIANFERRARI

| P.R. | 365 | Quartetto |

GIANNINI

| *N.Y. | 1537 | Frescobaldiana (dai 3 Pezzi per organo di Frescobaldi) |

archi = cordes, strings, streicher

GNECCHI

P.R.	316	Poema eroico (Notte nel campo di Holopherne)

GUBITOSI

P.R.	663	Notturno

GUERRINI

	122663	3 Pezzi, per orch. d'archi

HAENDEL

Concerti grossi :

P.R.	429	n. 1 in sol
P.R.	464	n. 5 in re
P.R.	430	n. 6 in sol min.
P.R.	465	n. 10 in re min.

HAENDEL - MOLINARI

P.R.	548	Largo

HAYDN

P.R.	423	Quartetto in sol, op. 17 n. 5, per archi
P.R.	424	in la, op. 20 n. 6
P.R.	425	in do, op. 33 n. 3
P.R.	407	in sol, op. 54 n. 1
P.R.	391	in re, op. 64 n. 5
P.R.	408	in sol min., op. 74 n. 3
P.R.	426	in sol, op. 76 n. 1
P.R.	392	in re min., op. 76 n. 2
P.R.	393	in do, op. 76 n. 3
P.R.	409	in si bem., op. 76 n. 4
P.R.	394	in re, op. 76 n. 5
P.R.	427	in sol, op. 77 n. 1
P.R.	495	Sinfonia in do n. 7 : Mezzogiorno
P.R.	498	in fa diesis min. n. 45 : Addio
P.R.	502	in do n. 82 : L'Orso
P.R.	503	in si bem. n. 85 : La Regina
P.R.	329	in sol n. 92 : Oxford
P.R.	481	in sol n. 94 : Sorpresa
P.R.	485	in do n. 97
P.R.	336	in mi n. 99
P.R.	330	in sol n. 100 : Militare
P.R.	504	in re n. 101 : L'Orologio
P.R.	480	in mi bem. n. 103 : Rullo di timpani
P.R.	331	in re n. 104 : Londra

LEO

*P.R.	317	Concerto a 4 v.ni obbligati con orch. d'archi e cemb. (Polo-Abbado)

LONGO ACH.

P.R.	547	Serenata in do

MALIPIERO

P.R.	300	L'Arca di Noè. 6° Quartetto
P.R.	528	Concerti
P.R.	428	3° Concerto, per pf. e orch.
P.R.	540	4° Concerto, per pf. e orch.
P.R.	664	Elegia-Capriccio
P.R.	543	5 Favole, per 1 voce e piccola orch.
P.R.	390	Mondi celesti, per 1 voce e 10 strumenti (dai Mondi celesti e infernali)

MALIPIERO (segue)

P.R.	655	Passacaglie
P.R.	541	7° Quartetto
P.R.	274	1ª Sinfonia (in 4 tempi, come le 4 Stagioni)
P.R.	529	2ª Sinfonia : Elegiaca
P.R.	286	4ª Sinfonia : In memoriam
P.R.	282	5ª Sinfonia : Concertante in eco
P.R.	299	6ª Sinfonia : Degli archi
P.R.	318	7ª Sinfonia : Delle canzoni
P.R.	639	Sinfonia dello Zodiaco. 4 Partite dalla primavera all'inverno
P.R.	542	Sinfonia in un tempo
P.R.	288	Sonata a cinque, per fl., v.no, viola, vc. ed arpa (op. : 2 v.ni, viola, vc. e pf.)
P.R.	287	Stornelli e ballate
P.R.	337	Stradivario. Fantasia di strumenti che ballano, per orch.
P.R.	666	Vivaldiana

MARINUZZI

*P.R.	212	Valzer campestre (dalla Suite siciliana)

MARTUCCI

*P.R.	225	Gavotta, op. 55 n. 2
*P.R.	210	Giga, op. 61 n. 3
*P.R.	204	Notturno, op. 70 n. 1
*P.R.	205	Novelletta, op. 82
*P.R.	208	Tarantella, op. 44 n. 6

MENDELSSOHN

P.R.	508	Concerto in mi min., op. 64 per v.no e orch.
P.R.	507	La Grotta di Fingal. Ouverture, op. 26
P.R.	505	Sinfonia n. 3 in la min., op. 56 : Scozzese
P.R.	506	n. 4 in la, op. 90 : Italiana

MENOTTI

P.R.	242	Sebastian. Balletto. Suite

MONTANI

	124003	Concertino in mi, per pf. e orch. d'archi

MOZART

P.R.	511	Concerto in la, per pf. e orch. (K. 488)
P.R.	512	in do min. (K. 491)
P.R.	513	in re (K. 537)
P.R.	514	Concerto in sol, per v.no (K. 216)
P.R.	515	in re (K. 218)
P.R.	516	in la (K. 219)
P.R.	631	in la per cl. e orch. (K. 622)
P.R.	632	in re per flauto e orch. (K. 314)
P.R.	620	Divertimento in re n. 7 (K. 205)
P.R.	621	in re n. 11 (K. 251)
P.R.	622	in si bem. n. 14 (K. 270)
P.R.	509	Don Giovanni : Ouverture (K. 527)
P.R.	510	Il Flauto magico : Ouverture (K. 620)

archi = cordes, strings, streicher

MOZART (segue)

P.R.	228	Le Nozze di Figaro : Ouverture (K. 492)
P.R.	605	Il Ratto dal serraglio : Ouverture (K. 384)

Quartetti per archi :

P.R.	412	in sol (K. 387)
P.R.	395	in re min. (K. 421)
P.R.	415	in mi bem. (K. 428)
P.R.	413	in si bem. (Jagd) (K. 458)
P.R.	396	in la (K. 464)
P.R.	420	in do (K. 465)
P.R.	399	in re (K. 499)
P.R.	397	in re (K. 575)
P.R.	398	in si bem. (K. 589)
P.R.	414	in fa (K. 590)
P.R.	470	in fa, per oboe e archi (K. 370)
P.R.	469	Quintetto in sol min., per archi (K. 516)
P.R.	471	in la, per cl. e archi (K. 581)
P.R.	245	Serenata (Eine kleine Nachtmusik) (K. 525)
P.R.	633	Sinfonia concertante in mi bem., per v.no, v.la e orch. (K. 364)
P.R.	624	Sinfonia in mi bem. (K. 16)
P.R.	625	in mi bem. (K. 18)
P.R.	626	in si bem. (K. 22)
P.R.	640	in la (K. 134)
P.R.	641	in re (K. 181)
P.R.	642	in do (K. 200)
P.R.	643	in la (K. 201)
P.R.	644	in re (K. 297)
P.R.	645	in do (K. 338)
P.R.	379	in re (K. 385) : Haffner
P.R.	334	in do (K. 425) : Linz
P.R.	378	in re (K. 504) : Praga
P.R.	363	in mi bem. (K. 543)
P.R.	332	in sol min. (K. 550)
P.R.	333	in do (K. 551) : Jupiter

PAGANINI - MOLINARI

P.R.	549	Moto perpetuo

PARIBENI

*	124341	L'Usignuolo del Sassolungo. Leggenda, per v.no e orch.

PERSICO

*	124023	Notturno (da La Bisbetica domata)

PETRASSI

P.R.	613	Concerto
P.R.	652	Introduzione e allegro, per v.no concertante e 11 strumenti
P.R.	364	Partita

PICK-MANGIAGALLI

*	125598	Burlesca
*	117740	Il Carillon magico. Commedia mimo-sinfonica
*	124951	Intermezzo delle rose
	119073	Notturno e rondò fantastico, op. 28
	120474	Piccola suite : 1. I piccoli soldati ; 2. Berceuse ; 3. Danza d'Olaf

PIZZETTI

	122812	Canti della stagione alta. Concerto per pf. e orch.
P.R.	669	3 Canzoni, per canto e quartetto d'archi : 1. Donna lombarda ; 2. La Prigioniera ; 3. La Pesca dell'anello
P.R.	251	Concerto dell'estate
P.R.	250	3 Preludi sinfonici per l'Edipo Re di Sofocle
	123151	Quartetto in re, per archi
P.R.	479	Rondò veneziano
*	125331	Sinfonia in la (rilegata in tela e oro)

PORRINO

	123087	Sardegna. Poema sinfonico

RESPIGHI

P.R.	536	Antiche danze ed arie per liuto. Trascrizione per orch. 1ª Suite (sec. XVI)
P.R.	544	2ª Suite (secoli XVI e XVII)
P.R.	476	3ª Suite (secoli XVI e XVII), per orchestra d'archi
P.R.	647	Belkis, Regina di Saba. 1ª Suite
P.R.	473	Feste romane. Poema sinfonico
P.R.	438	Fontane di Roma. Poema sinfonico
P.R.	478	Impressioni brasiliane
P.R.	439	Pini di Roma. Poema sinfonico
P.R.	530	Trittico botticelliano, per piccola orch.
P.R.	321	Gli Uccelli. Suite per piccola orch.

ROCCA

P.R.	661	Il Dibuk. Danze
P.R.	550	id. Finale dell'opera
P.R.	662	Interludio epico (Percussus elevor)
P.R.	441	In terra di leggenda. 2 frammenti sinfonici
P.R.	668	Momento sinfonico (dal Monte Ivnor)

ROSSELLINI

P.R.	732	Canzone del ritorno, per orch.
P.R.	601	Racconto d'inverno. Suite dal balletto
P.R.	656	Stampe della vecchia Roma
*P.R.	222	Stornelli della Roma bassa. Rapsodia

ROSSINI

P.R.	734	La Cenerentola : Ouverture
P.R.	735	La Gazza ladra : Ouverture
P.R.	256	Guglielmo Tell : Ouverture
P.R.	257	Semiramide : Ouverture
P.R.	736	La Scala di seta : Ouveture

SAMMARTINI-MARTUCCI

*P.R.	224	Pastorale, per piccola orch.

archi = cordes, strings, streicher

SAUNDERS

L.D.	380	Interludium, per orch. d'archi

SCHUBERT

P.R.	472	Ottetto, op. 166
P.R.	421	Quartetto in la min., op. 29. per archi
P.R.	432	in sol, op. 161
P.R.	466	in re min. (op. postuma)
P.R.	484	in do min. (op. postuma)
P.R.	477	Quintetto in do, op. 163, per archi
P.R.	475	Quintetto in la, op. 114, per pf. e archi : La Trota
P.R.	236	Sinfonia n. 8 in si min. : Incompiuta
P.R.	474	Trio in si bem., op. 99, per pf. e archi

SCHUBERT - ZANDONAI

124392		Momento musicale, op. 94 n. 3, per orch. d'archi

SCHUMANN

Quartetti per archi :

P.R.	534	in la min., op. 41 n. 1
P.R.	535	in fa, op. 41 n. 2
P.R.	422	in la, op. 41 n. 3
P.R.	463	Quintetto in mi bem. op. 44. per pf. e archi
P.R.	517	Sinfonia n. 4 in re min., opera 120

SCHUMANN - ZANDONAI

124393		Rêverie, op. 15 n. 7, per arpa e orch. d'archi

SMETANA

P.R.	518	Moldava
P.R.	433	Quartetto in mi min., per archi : Dalla mia vita

SORESINA

127617		Ciaccona a variazione, per archi (in 4°)

TOSATTI

P.R.	730	Due frammenti dal dramma musicale « Diòniso » : n. 1 Preludio a Diòniso - n. 2 Le Nozze d'Arianna

TURCHI

P.R.	654	Piccolo concerto notturno

VERDI

P.R.	258	La Forza del destino : Ouverture
P.R.	737	Luisa Miller : Ouverture
P.R.	738	Nabucco : Ouverture
P.R.	538	Quartetto in mi min., per archi
P.R.	259	I Vespri siciliani : Ouverture

VERETTI

*	124485	Divertimento per clavicembalo (o pf.) e 6 strumenti
P.R.	254	Sinfonia italiana : Il Popolo e il Profeta
P.R.	255	Suite in do

VERNON DUKE

N.Y.	1692	Ode alla Via Lattea (Ode to the Milky Way)

VILLA-LOBOS

*P.R.	214	Bachianas Brasileiras n. 2. Suite in 4 tempi
N.Y.	1544	id. n. 3
N.Y.	1555	id. n. 4
*P.R.	216	Caixinha de bôas festas (Vitrine encantada). Poema sinfonico
P.R.	218	8° Quartetto

VIVALDI

121583		Concerto in la min. (Molinari)

VOGEL

P.R.	533	Thyl Claes. Oratorio. 6 Frammenti (dalla I parte), (in-4°)

WAGNER

P.R.	523	La Cavalcata delle Walkirie
P.R.	335	Idillio di Sigfrido
P.R.	602	Lohengrin : Preludi : Atto 1° e 3°
P.R.	209	I Maestri cantori : Ouverture
P.R.	603	Parsifal : Preludio
P.R.	213	Tannahäuser : Ouverture
P.R.	223	Tristano e Isotta : Preludio e morte di Isotta

WEBER

P.R.	612	Euriante : Ouverture
P.R.	525	Il Franco cacciatore : Ouverture
P.R.	524	Invito alla danza op. 65 (Berlioz)
P.R.	604	Oberon : Ouverture

WOLF-FERRARI

*P.R.	227	Il Campiello. 2 Pezzi : 1 Intermezzo (atto II) - 2. Ritornello (atto III)
122546		Idillio-concertino in la op. 15, per oboe solista, orch. d'archi e 2 corni
122565		Suite-concertino in fa op. 16, per fagotto solista, orch. d'archi e 2 corni

ZAFRED

P.R.	539	4ª Sinfonia : In onore della Resistenza

ZANDONAI

123731		Colombina : Ouverture
120794		Danza del torchio e cavalcata (da Giulietta e Romeo)

archi = cordes, strings, streicher